Les étoiles de la mort

ŒUVRES PRINCIPALES

Les aventures de Harry Dickson
Les cercles de l'épouvante
La cité de l'indicible peur
Les contes du whisky
Les derniers contes de Canterbury
Les gardiens du gouffre
Le grand nocturne
Malpertuis
Le livre des fantômes
Le carrefour des maléfices
Les contes noirs du golf
La croisière des ombres
La gerbe noire
Visages et choses crépusculaires

Jean Ray

Harry Dickson
Les étoiles de la mort

suivi de
Le studio rouge

Librio

Texte intégral

Une édition intégrale de **Harry Dickson**, le **Sherlock Holmes** américain,
est disponible aux Éditions Claude Lefrancq, Bruxelles.

LES ÉTOILES DE LA MORT

1. Terreur…

Une apothéose soudaine embrasa l'horizon, puis les cargos amarrés au Greenwich Ferry Pier reçurent une secousse, comme si une lame de fond les prenait au travers.

Aussitôt, la grande Fire Station de Ferry Road fut alertée de toutes parts ; huit signaux tremblotèrent à la fois sur les tableaux d'alerte.

— Réservoir deux, réservoir trois, réservoir quatre… annonça le téléphoniste, mais, je veux bien en avaler ma pipe, ce sont les Gas-works tout entiers qui flambent ! Vous parlez d'un calorifère !

Déjà, on entendait le mugissement des bateaux-pompes qui s'apprêtaient à traverser la Tamise.

Toute la voûte céleste, noire encore tout à l'heure, avait pris une sinistre teinte orangée. De l'autre côté du fleuve, Deptford Creek se dessinait dans ses moindres détails, mieux encore qu'à l'heure de la méridienne. Mais, un peu vers sa gauche, c'était l'enfer !

De formidables torches jaillissaient du sol, grillant les nuages de temps à autre, le grondement d'une explosion ébranlait l'atmosphère et les eaux.

La Tamise semblait un fleuve de feu, où se hasardaient les ombres désespérées des cargos, des péniches et des vedettes de la police fluviale.

— Les Gas-works flambent ! tel fut le cri de terreur qui se répercuta le long de la Tamise, de Greenwich vers Limehouse et Shadwell, puis de Greenwich vers la mer.

7

Nous laisserons quinze divisions de pompiers attaquer de concert l'effrayant foyer, pour nous mettre aux écoutes de ce qui se passe en ce moment dans les bureaux de la direction des Gas-works.

Ces bateaux sont heureusement situés en retrait des usines à gaz, dans Thames Street, mais malgré cela, le cordon de police refoule les curieux bien loin de ses trottoirs.

Directeurs et adjoints sont réunis. Il y a là également deux fonctionnaires de Scotland Yard et des officiers du port.

— Je n'y comprends rien, murmure le directeur principal Mr. Hewitt, dans toute l'Europe, il n'y a pas une usine à gaz mieux préservée contre les dangers d'incendie. Nous avons un service de surveillance spécial et une brigade du feu est à notre disposition, nuit et jour. Et voici que huit réservoirs à la fois flambent !

— Malveillance ? hasarda l'un des policiers.

La mine de Mr. Hewitt se renfrogna.

— Laissez-moi tranquille avec vos suppositions ! Voilà bien les gens du Yard ! Ils vous traiteraient d'incendiaire parce que vous allumez un cigare et d'assassin parce que votre arrière-petit-cousin est mort !

L'officier de police, un petit homme effacé, mais doué d'une voix pointue où perçait un certain entêtement, répliqua doucement :

— Huit réservoirs à la fois, Mr. Hewitt, j'ai bien entendu, *à la fois* !

Mr. Hewitt réfléchit, puis il baissa la tête d'un air accablé.

— C'est juste... au fond, cela ne laisse pas d'être très bizarre.

— Suspect, modifia le petit policier, je trouve que le mot «suspect» est plus exact, Mr. Hewitt.

— Va donc pour «suspect», Mr. Moriss, mais cela ne nous avance guère, bougonna Hewitt.

— Pourrions-nous distraire quelques-uns des hommes de la surveillance de leurs travaux actuels de sauvetage ? demanda Mr. Moriss avec une exquise politesse.

8

Mr. Hewitt se tourna d'un mouvement brusque vers le standard téléphonique placé dans le petit réduit contigu, et appela l'employé préposé à sa marche.

— Avons-nous encore la communication avec les bureaux secondaires de Deptford Creek? Je crains que la chaleur ambiante n'ait volatilisé pas mal de fils à la ronde ou que les réseaux aériens ne soient brouillés par la chute des autres.

L'employé s'inclina respectueusement.

— Cette communication est souterraine, sir; je crois bien que nous pourrons parler, si toutefois la chaleur n'a pas chassé le monde hors des bureaux secondaires qui ne se trouvent pas si loin du foyer de l'incendie.

Tout en parlant, le téléphoniste poussait des fiches et actionnait des leviers d'appel.

— Communication! dit-il soudain, c'est Mac Girr, le chef d'équipe, il demande de faire vite, car déjà les vitres viennent d'éclater autour de lui.

Mr. Hewitt s'empara de l'appareil.

— Allô, Mac Girr, pouvez-vous atteindre quelques-uns de la brigade de surveillance? Et qui?

— Cela tombe à pic, monsieur le directeur, il y a le chef Barkes qui se trouve en ce moment à mes côtés. Il y a aussi le surveillant Hurley qui est devant la porte, mais Dieu seul sait ce qu'il est advenu des autres, je crains qu'il n'y ait des morts à déplorer de ce côté.

— Envoyez-moi Barkes et Hurley, ordonna le directeur, et au pas de course, hein?

Mr. Hewitt tendit une boîte de cigares à ses hôtes, et tout le monde y puisa: un silence tomba dans la pièce qui s'emplissait de fumée odorante.

Enfin, des pas pressés résonnèrent dans le vestibule, et deux hommes vigoureusement charpentés se présentèrent devant la porte du bureau.

— Barkes et Hurley, présenta Mr. Hewitt, en désignant des sièges à ses subordonnés.

Les deux surveillants prirent gauchement place, roulant leurs casquettes galonnées d'argent entre leurs doigts épais.

— Avez-vous fait votre rapport, Barkes ? demanda le directeur.

L'interpellé secoua la tête.

— J'ai donné un coup de main aux pompiers, et ils en avaient bien besoin, répondit-il. Le rapport viendra après.

— Rien vu ? demanda brièvement Mr. Hewitt.

Barkes se gratta l'oreille et regarda son confrère Hurley d'un air embarrassé.

— Si j'avais été seul à le voir, je n'aurais rien osé dire, tant cela paraît invraisemblable, mais Hurley l'a vu, lui aussi !

Mr. Moriss manifesta aussitôt le plus vif intérêt.

— Invraisemblable, mon ami ! jubila-t-il. Mais toutes les grandes choses débutent par l'invraisemblable. La T.S.F. et les rayons X par exemple ! Entendre à mille lieues de distance chanter un rossignol dans les arbres et voir à travers une porte fermée, sans se servir du trou de la serrure ! Continuez, mon ami !

Barkes laissa passer ce torrent de paroles en roulant des yeux un peu plus effarés que de coutume.

— Voilà, dit-il, je venais de marquer mon passage à l'appareil de minuterie du poste et je me dirigeais vers les chantiers à la rencontre de la brigade, qui devait en ce moment circuler entre les réservoirs trois, quatre et cinq. Tout à coup, je lève les yeux vers la galerie qui contourne le réservoir deux, et je m'écrie avec colère :

— Vous êtes fou, là-bas ! Descendez et éteignez tout de suite ce mégot !

» Car le salaud, sauf votre respect, messieurs, qui circulait sur la galerie extérieure, fumait ! Je ne pouvais le voir, car la nuit était très noire, et il se tenait collé tout contre la paroi de fer, mais je voyais très bien brasiller sa cigarette.

» Ah ouiche ! Vous parlez d'une obéissance ! J'ai vu la cigarette courir le long de la galerie, et puis, tout à coup, gagner les hauteurs. Comme le bandit arrivait sur la haute plate-forme, je l'ai perdu de vue.

» J'en étais encore à pester et à crier, quand tout à

coup, j'ai entendu la voix furieuse de Hurley, ici présent. Lui aussi avait vu des hommes qui fumaient tout en haut des réservoirs !

— Des hommes ? demanda Mr. Moriss, appuyant sur le pluriel.

Hurley prit la parole.

— C'était notre première ronde de nuit. J'avais cinq hommes avec moi, nous faisions notre tournée ordinaire contre le danger d'incendie, mais ce soir, nous avions des ordres précis pour surveiller les grands stocks de houille en plein air, contre la clôture de Deptford Creek. Des vols de charbon avaient été constatés par là, ces derniers temps.

— C'est exact, affirma Mr. Hewitt.

— Nous longions donc ladite clôture, continua Hurley, quand le surveillant Pinch, qui marchait le premier, nous a fait signe.

» — Voilà un des lascars au charbon, dit-il, et il ne se gêne pas : il fume !

» En effet, tout en haut d'une colline de houille, une cigarette mettait un point de feu dans l'obscurité.

» — Il me le faut, dis-je doucement à mes hommes. Le terril n'est pas bien grand et nous allons l'encercler. En avant !

» La manœuvre n'était pas difficile, et bientôt l'escouade était postée de façon que le voleur ne puisse lui échapper. Celui-ci restait toujours visible au sommet de la colline, grâce à son mégot allumé. Nous sentions d'ailleurs l'odeur de tabac noir.

— Halte ! s'écria Mr. Moriss, du tabac noir, dites-vous, Hurley, en êtes-vous bien certain ?

— Oui, sir, car on le remarque d'autant mieux qu'il se fume peu chez nous, où l'on donne une préférence marquée au tabac blond et au Navy Cut parfumé.

» Ce genre de tabac, ce sont plutôt les matelots français qui le fument.

— Bien observé, murmura Mr. Moriss en envoyant un sourire satisfait au surveillant, veuillez continuer maintenant, Mr. Hurley.

11

— Tout à coup, Pinch a crié « Le voilà ».

» Eh oui, la pointe de feu descendait la colline de houille.

» — Rendez-vous ! ai-je crié à mon tour.

» Il se passa alors une chose bien curieuse : le voleur bondit au-dessus de nos têtes ! C'était incroyable et terrifiant : la cigarette brûlante zébra l'air comme une étoile filante, et puis on ne vit plus rien.

— En voilà des histoires de bonne femme, grogna Mr. Hewitt.

— Attendez, monsieur le directeur, je n'ai pas fini l'histoire, continua Mr. Hurley sur un ton de reproche. Dix minutes plus tard, il semblait bien que la folie se fût emparée de notre brigade.

» — Voilà notre voleur sur les galeries du réservoir trois ! cria tout à coup Pinch, à quoi un autre de mes hommes répliqua :

» — Mais non, c'est sur le réservoir quatre !

» — Non, le cinq !

» — Par l'enfer ! Sur tous les trois, il y a des canailles qui fument ! me suis-je exclamé alors.

» Je donnai des ordres à mes surveillants pour les poursuivre, mais ce n'était pas si facile, les gaillards filaient comme des clowns le long des vertigineuses échelles de fer. On n'en voyait que les ombres fugitives piquées par la lueur tremblotante de leur cibiche.

» Quand mes hommes furent lancés sur leur piste, je partis à la recherche du chef surveillant, Barkes, et je le trouvai brandissant le poing contre le fumeur inconnu du réservoir nº 2.

Barkes leva la main, redemandant la parole.

— Nous avions à peine échangé quelques mots que l'air s'embrasait autour de nous. Heureusement que nous avons pu contourner rapidement les hangars des machines, sinon la violence des explosions nous aurait certainement tués. Les réservoirs nºs 2, 4 et 5 se contentèrent de brûler, mais les autres ont sauté.

— L'équipe circulait sur les terrains parmi les réser-

12

voirs en proie aux flammes, si j'ai bien compris ? demanda Mr. Moriss.

Barkes et Hurley approuvèrent d'un même mouvement attristé de la tête.

— Je crains qu'il n'y ait eu aucune chance de salut pour les hommes, dit Barkes avec un frisson.

— Aucune, fit Hurley comme un écho de douleur.

La minute de silence qui suivit sembla dédiée à la mémoire de ces hommes morts en faisant leur devoir.

Puis Moriss reprit la parole, comme en s'excusant un peu de troubler un si solennel intermède.

— Nous devons continuer nos recherches, messieurs, dit-il de sa voix polie, voyons, j'ai, pendant que les surveillants faisaient leurs dépositions, jeté quelques notes sténographiques sur mon carnet. Sommes-nous d'accord ?

Barkes et Hurley s'entendirent répéter leurs paroles.

— C'est tout à fait cela, approuvèrent-ils.

— Je remarque, continua l'inspecteur Moriss, qu'il n'est nulle part fait mention d'un réservoir n° 1. Il en existait un, pourtant ?

— Certainement, répondit Mr. Hewitt, mais la cloche à gaz était en voie de réparation, ce réservoir était bien vide de gaz d'éclairage.

— Très bien, cela explique pourquoi il ne flambe pas avec les huit autres.

Soudain, la maison trembla sur ses bases.

— Il me semblait pourtant qu'il ne restait plus rien à faire sauter, s'écria Mr. Moriss en gardant tout son sang-froid.

— La déflagration me semble plus lointaine, objecta un des officiers du port.

On entendit un bruit de voix au-dehors, puis des cris de surprise, et enfin des pas rapides. Un des chefs de la Fire Station de la Tamise fit irruption dans les bureaux.

— Messieurs, dit-il en s'adressant aux fonctionnaires du port, nous devons soustraire une partie de notre troupe et disposer de deux bateaux-pompes pour le moins !

— Comment cela ? Mais vos brigades sont déjà insuf-
fisantes pour protéger le quartier d'un anéantissement
total ! cria le lieutenant.

— Je le regrette, mais les tanks à pétrole de Millwall
Pier sont en flammes !

— Mais c'est fou, c'est insensé ! clama Mr. Moriss,
perdant cette fois-ci tout son flegme. S'il faut en croire
mes oreilles, tout Londres sera bientôt en feu ?

Il ne croyait pas si bien dire, le brave inspecteur
Moriss ! Vers la fin de la même nuit, le dépôt d'essence,
non loin de Wapping Station, dépôt affecté aux vedettes
de la marine royale amarrées dans le Pool, sauta,
dévastant des entrepôts et des immeubles jusque dans
High Street.

La terreur du feu embrasait Londres.

2. Le réservoir n° 1

Harry Dickson, le célèbre détective, encouragea du
geste son visiteur à continuer son récit.

— On ne m'a pas révoqué, Mr. Dickson, tout au plus
rétrogradé, mais ce n'est pas cette humiliation qui me
navre le plus, c'est la mort de mes pauvres camarades,
et je vois qu'on ne met rien en œuvre pour retrouver les
coupables.

— Voyons, Barkes, répondit Harry Dickson d'un ton
conciliant, je crois, au contraire, que la police officielle
fait tout ce qui est en son pouvoir pour découvrir le
ou les criminels qui ont mis le feu aux Gas-works et
ailleurs.

L'ex-surveillant en chef tira nerveusement sur ses
épaisses moustaches.

— Je vais vous dire, Mr. Dickson... J'ai été appelé
hier dans les bureaux de Mr. Hewitt et, pour la dixième
fois, j'ai dû recommencer mes explications. Un des
membres les plus influents du conseil d'administration
était présent, Mr. Malory, qui était revenu dare-dare de
l'étranger à la nouvelle du sinistre.

» Ce Mr. Malory bouillait littéralement de fureur…

» — On ne fait rien de rien pour apprendre du nouveau! tempêtait-il, Scotland Yard est donc peuplé d'ânes bâtés?

» — Pourquoi, ai-je dit, ne met-on pas cette affaire entre les mains de Harry Dickson. Avec lui, cela ne tarderait guère.

» Mr. Malory tourna alors sa fureur contre moi.

» — Vraiment, monsieur le surveillant en chef, vous vous permettez de donner des conseils ici, alors que je vous tiens, de par votre négligence, pour un des principaux coupables? Mr. Hewitt, j'oubliais de vous demander si vous avez déjà pris des mesures disciplinaires contre des employés comme Mr. Barkes ici présent?

» Mr. Hewitt est un brave homme, mais il est à plat ventre devant ses chefs, et Mr. Malory semblait lui inspirer une sainte frousse; la mort dans l'âme, mon pauvre directeur dut me rétrograder au rang de simple surveillant, et je crois qu'il a dû supplier encore Mr. Malory, pour ne pas me faire révoquer tout à fait.

— Refaites-moi complètement le récit des événements, dit Harry Dickson sans relever les plaintes du brave Barkes.

Quand ceci fut fait, le détective se renversa dans son fauteuil et, bourrant sa pipe, réfléchit. Mr. Barkes respecta pieusement son silence.

— Barkes, dit-il enfin, si je comprends bien, le réservoir n° 1 n'a pas sauté, faute de gaz. L'inspecteur Moriss n'a donc pas enquêté de ce côté-là?

— Non, et cela me paraît plausible, n'est-ce pas, sir?

— Certainement, répliqua Dickson avec un sourire ironique, mais je suis ainsi fait, moi: j'agis souvent à l'encontre des autres. Par conséquent, le réservoir n° 1 a tout ce qu'il faut pour m'intéresser. Je désire le voir, Barkes, et, naturellement, sans que personne en ait vent.

— Ce sera facile, Mr. Dickson, dit le surveillant, je

suis de garde cette nuit... à moins qu'il ne vous faille la lumière du jour, ajouta-t-il d'un air contrit.

— Mais pas du tout! Une bonne lampe électrique fera fort bien l'affaire, sans compter que je pourrai passer inaperçu, ce que je désire avant tout. A quelle heure commence votre service de nuit, Barkes?

— A dix heures, Mr. Dickson, les rondes ne sont plus sévères, puisqu'il n'y a plus rien à détruire : les pompiers ont quitté ce matin les chantiers, le feu étant complètement éteint.

— Puis-je vous trouver sans être vu?

— Oui, il y a une petite porte qui donne sur une bande de terrain d'alluvions de Deptford Creek. Elle ne s'ouvre que de l'intérieur par un cadenas et des verrous. J'aurai soin de l'ouvrir quelques minutes avant onze heures. Alors vous pourrez entrer, Mr. Dickson, et vous me trouverez à onze heures précises dans un petit poste de minuterie voisin, dont vous verrez luire l'unique lumière dans la nuit. A cette heure, il n'y aura que moi de ronde dans cette partie de l'usine, celle aussi à laquelle appartient le réservoir n° 1, que le feu a épargné.

— *All right!* fit le détective en prenant congé de Barkes.

Une fois seul, il prit quelques lourds in-folio dans sa bibliothèque et se mit à les compulser avec soin.

— Des incendies en série, monologua-t-il, ce n'est pas un crime très nouveau et ces annales en fourmillent. Mais je ne retrouve aucune analogie dans la perpétration du forfait. Ah, voyons ceci, je savais bien que ma mémoire ne me trompait pas!

Il venait de cueillir parmi des milliers de coupures une feuille à peu près décollée et copieusement annotée en bleu et en rouge.

— Les étoiles de la mort! murmura-t-il avec un frisson.

Nous résumerons l'étrange épisode.

Il y avait quatre ans, par une magnifique nuit d'été,

les tanks d'essence minérale de la Morgan C° flambaient brusquement sur la rive droite du Bosphore.

Les gardiens du chantier avaient tous déposé un témoignage identique et fort troublant : quelque temps avant le sinistre, ils avaient vu des points de feu errant parmi les puissants réservoirs.

Ces lueurs semblaient errer le long des parois accores des tanks et ne pouvaient y être promenées de main d'homme.

La superstition des ouvriers turcs et arméniens aidant, leur fatalisme également, la version fut vite trouvée : des forces hostiles, inconnues, spectrales peut-être, étaient en jeu. On ne pouvait rien contre elles. Les points de braise prirent le nom d'étoiles de la mort.

Cela ne fit pas l'affaire des compagnies européennes qui ouvrirent enquête sur enquête : rien n'y fit.

Mais six semaines plus tard, les étoiles de la mort semèrent la panique tout au long du canal de Suez et les dépôts de naphte devinrent presque tous la proie des flammes. Les gardiens avaient tous vu les terribles et mystérieux astres nocturnes.

Harry Dickson hocha pensivement la tête. Au fond, il n'apprenait rien, si ce n'est qu'un procédé analogue avait été employé pour les Gas-works et probablement pour les tanks de Millwall Pier.

— Bon, voyons d'abord si le réservoir n° 1 ne nous apprend rien, se dit-il en se préparant à partir, car l'heure du rendez-vous avec Barkes était proche.

Tout à coup, le téléphone se mit en branle.

Ennuyé de cette perte de temps, Dickson répondit sans aménité :

— Ici Dickson ! Je suis pressé ! Qu'y a-t-il ?

— Il y a, répondit une voix aiguë, qu'il ne faut pas vous presser et ne pas perdre de temps à vous promener dans les réservoirs des Gas-works !

Et la communication fut brusquement coupée.

— Loupé ! grommela le détective en sonnant le bureau central.

— Mademoiselle, quel est le poste qui vient de me sonner ? s'enquit-il.

La réponse lui parvint après une recherche de plusieurs minutes :

— Le bureau des Gas-works dans Deptford Creek, sir !

Harry Dickson poussa un cri de surprise et aussitôt il forma le numéro des Gas-works.

L'appel sonna et sonna encore, mais personne ne répondit.

Ce ne fut qu'à la quatrième reprise, que l'appareil fut décroché et qu'une voix endormie cria à l'autre bout du fil :

— Il n'y a personne dans les bureaux, que voulez-vous ?

— Police ! dit sèchement Dickson en taisant son nom à dessein, qui êtes-vous ?

— Le surveillant Hurley, sir, mais depuis cinq heures, les bureaux sont fermés, et c'est par hasard que j'ai entendu la sonnerie répétée du téléphone, en passant par le vestibule.

— Pourtant, on vient de m'appeler de chez vous.

— Oh ! ce n'est pas possible ! répondit le surveillant avec une surprise qui ne paraissait nullement feinte, il n'y a que moi qui aie les clés du bureau et elles ne m'ont pas quitté.

Harry Dickson avait la réflexion prompte, il résolut de marcher de l'avant.

— Ecoutez, Hurley, je suis Harry Dickson, veuillez voir si vous ne trouvez rien d'anormal autour de vous. Regardez bien !

Quelques secondes s'écoulèrent et le détective entendit l'homme tourner en rond autour de la pièce.

Enfin, Hurley revint au téléphone.

— Rien, Mr. Dickson... ou plutôt si... un bout de cigarette de tabac noir... comme celle, vous savez bien, sans doute...

Hurley n'acheva pas sa phrase, mais poussa un hurlement de terreur :

18

— Au secours, Harry Dickson! A la fenêtre! C'est effroyable! Cela va entrer ici! Au secours!

Un fracas de verre brisé retentit, puis un épouvantable cri d'agonie.

— Hurley! Hurley! cria en vain le détective.

Il y eut un choc sourd, la chute d'un corps, puis le silence.

Hagard, la sueur froide de l'angoisse aux tempes, Harry Dickson renonça à appeler le malheureux Hurley et alerta Scotland Yard.

— Goodfield! On tue aux Gas-works! La voiture de police avec six hommes!

Dix minutes plus tard, l'auto vint quérir Dickson dans Baker Street, et, à grands hurlements de sirène, parcourut la ville endormie.

— Les bureaux sont déserts, on ne voit nulle part de la lumière, dit Goodfield comme ils arrivaient. J'aurais bien voulu être à la place de Moriss pour faire débuter l'enquête sur les incendies.

— Il vous restera assez de besogne, mon cher superintendant, grommela Dickson... Non, n'enfoncez pas les portes, nous entrerons par la poterne de Creek.

La petite porte signalée par Barkes n'était, en effet, fermée qu'au loquet.

Dickson en tête, les policiers envahirent le chantier.

— Nous trouverons Barkes derrière la butte du sud, près du poste de minuterie, déclara Dickson.

Mais le poste était désert, et malgré les torches électriques brandies de tous côtés, personne ne vint.

Harry Dickson sentit une nouvelle inquiétude lui serrer la gorge.

— Pourvu que rien ne soit arrivé à Barkes, murmura-t-il.

— Voyons d'abord les bureaux, dit le superintendant de police. Ah! Voici une fenêtre proprement démolie!

» Par l'enfer! hurla-t-il soudain. Il y avait des barreaux à cette fenêtre, et regardez-les! Arrachés, tordus, brisés comme s'il se fût agi de simples fils!

L'ouverture était grande et Dickson s'y engagea, braquant sa lampe.

— Mort! souffla-t-il en regardant le corps de Hurley gisant contre le mur.

— Et comment! appuya Goodfield. Mais c'est incroyable, voyez donc sa tête!

La tête du surveillant avait été littéralement retournée à 180 degrés, et lorsque les policiers relevèrent le cadavre, un cri d'horreur unanime s'éleva:

— Il n'y a pas un os entier dans tout ce corps! On dirait qu'il a passé par une broyeuse!

Déjà, le détective s'affairait, flairant le plancher poisseux de sang, fouillant dans les moindres recoins. Mais il ne trouva pas la cigarette de tabac noir.

Goodfield s'apprêtait à partir quand Dickson le retint.

— Venez avec moi, nous allons voir le réservoir n° 1.

— Comment? Pensez-vous trouver quelque chose dans cette boîte à conserve? se gaussa le policier.

— Certainement, mon cher, répondit le détective, ou plutôt, je crois n'y rien découvrir du tout, et ce serait une première preuve contre l'X criminel.

— Quel étrange propos, Mr. Dickson! Ne rien découvrir serait autant qu'une preuve! Cela me dépasse, je n'ai aucune honte à vous l'affirmer.

— C'est bien simple, Goodfield, et je ne désire pas vous faire languir. Si je ne trouve rien dans le réservoir n° 1, pas un bout de cigarette par exemple, c'est que le criminel savait parfaitement que le réservoir était vide de gaz. Or, il se fait qu'un nombre très restreint d'employés étaient au courant de la vidange qui venait d'avoir lieu!

— Ah! voilà, se réjouit le brave Goodfield, c'est simple, en effet. Mon Dieu, je n'y pensais pas, mais comme c'est enfantin et très juste, au fond!

Harry Dickson se contenta de sourire.

Ils grimpèrent la raide échelle de fer apposée contre la paroi de tôle.

Sous eux, par le trou d'homme, l'intérieur apparut, sombre comme un puits de mine.

Goodfield, avant d'empoigner l'échelle intérieure servant à la descente, jeta un regard méfiant sous lui.

— Un homme! s'écria-t-il tout à coup, holà! que faites-vous là! Répondez tout de suite ou je tire!

Harry Dickson se pencha à son tour, puis, avec un grondement de colère, il se laissa glisser dans le réservoir.

— Ne tirez pas, Goodfield! Le pauvre diable a déjà son compte, cria-t-il.

— Que me dites-vous, Mr. Dickson? fit le policier en se hâtant derrière son célèbre confrère.

Harry Dickson ne répondit pas, il venait de trancher une corde au bout de laquelle pendait un cadavre.

— Pauvre Barkes! murmura-t-il.

— Et de deux! gémit Goodfield. Dans quel cauchemar vivons-nous!

— La mort remonte déjà à plus d'une heure, déclara Dickson, le corps s'est considérablement refroidi. Le bandit qui opère dans ces parages n'y va pas par quatre chemins!

Tout en parlant, il regardait autour de lui, mais Goodfield fut le premier à faire la découverte.

— Le bout de cigarette, Mr. Dickson! dit-il triomphalement en ramassant un petit mégot de tabac noir dont l'un des bouts était noirci par la flamme.

Harry Dickson prit la trouvaille, la flaira et ricana.

— Un peu trop frais, déclara-t-il, cette cigarette a été jetée ici il y a bien peu de temps!

— Sans aucun doute, le meurtrier la fumait après ou avant son crime.

— Hypothèse vraisemblable et tentante, mais je regrette de devoir la démentir.

— Et pourquoi? demanda Goodfield interloqué.

— Parce qu'elle n'a pas été fumée, mais simplement brûlée! L'assassin ne doit pas aimer le tabac noir!

— Vous voilà de nouveau parti du côté des invraisemblances, fit Goodfield, mécontent.

— Goodfield, vous avez de bons yeux, mais s'ils regardent bien, ils ne voient pas toujours. Regardez comme ce bout est sec! Jamais il n'a touché une lèvre, et voyez comme le papier est léché par la flamme de l'allumette ou du briquet... oui, du briquet, la cendre est pleine de suie!

— C'est vrai, concéda le superintendant, mais que faut-il en conclure?

— Que le bandit a eu la même idée que moi... à moins qu'il n'ait entendu ce que je disais dans le bureau tragique: l'absence du bout de cigarette démontrait ce que vous savez... et il s'est hâté de déposer une preuve détruisant la grande preuve! Aha!

A ce moment, quelqu'un appela du dehors le détective par son nom:

— Mr. Dickson!

Les deux limiers se hâtèrent de sortir du réservoir.

— Mr. Dickson, répéta la voix, dépêchez-vous!

Une silhouette étriquée se profilait dans l'ombre du pied du grand tank.

— Qui êtes-vous? Et que faites-vous ici? s'écria Goodfield.

— Je suis Mr. Malory, administrateur des Gas-works!

Les détectives mirent pied à terre et s'approchèrent de Mr. Malory.

— Je suis obligé de vous demander ce que vous faites ici à cette heure, sir, dit froidement Harry Dickson.

— Je viens vous demander de bien vouloir m'arrêter!

— Hein! sursauta le détective, et pourquoi donc?

— Peu importe! Inculpez-moi de l'incendie des réservoirs, répondit froidement l'administrateur.

C'était tellement inattendu que Dickson et Goodfield ne purent trouver une réponse et considérèrent Mr. Malory avec une stupéfaction non dissimulée.

Mais alors, ce dernier montra des signes manifestes d'inquiétude.

— Faites vite! Mais dépêchez-vous! Puisque je vous le dis!

— Cela ne va pas! dit sèchement le détective.

— Comment, cela ne va pas? s'écria Mr. Malory.

— En effet, ce n'est là qu'une… faveur, que l'on accorde aux créatures coupables de crimes et de délits.

— Ce qui est bien mon cas, puisque je m'accuse de tout ce qui est arrivé ici, aux Gas-works !

— Expliquez-vous… commença Goodfield.

— Est-ce un endroit choisi pour un interrogatoire ? Conduisez-moi à vos bureaux, je l'exige !

Harry Dickson considéra l'étrange bonhomme qui venait de se dresser devant lui, et constata sa fébrilité extraordinaire.

— Soit, dit-il tout à coup, veuillez nous suivre, Mr. Malory.

L'administrateur en chef ne se le fit pas dire deux fois, et entraîna littéralement les détectives vers la porte de sortie.

Au même moment, quelque chose de noir et de lourd passa à deux pouces de la joue de Dickson, frappant en plein crâne Mr. Malory qui s'effondra.

— Qu'est-ce qui nous arrive ? rugit Goodfield, qui se sentit soudain éclaboussé par un liquide tiède et gluant.

Harry Dickson relevait déjà Mr. Malory.

— Il est mort, dit-il, sa tête a été littéralement broyée.

— Mais par qui ? Mais par quoi ? s'exaspéra Goodfield.

— Par qui ? Je ne le sais, Goodfield, mais par quoi, cela est plus facile à savoir : regardez-moi cette pierre à vos pieds.

— Pierre ? Mais c'est un morceau de fonte ! Tudieu, tâchez donc de le soulever, gronda le superintendant en frottant ses mains endolories.

Harry Dickson considéra le puissant bloc de fer.

— Je pourrais le soulever en y mettant du muscle, dit-il, mais quant à le lancer à toute volée… je ne crois pas que le plus fort lanceur de disque l'enverrait à plus d'un yard.

— Et cela sifflait dans l'air comme un caillou ! ajouta comiquement le superintendant de Scotland Yard.

Mentalement, Dickson établit le bilan de la soirée :

— Trois morts à quelques minutes d'intervalle !

Goodfield ordonna une battue en règle du chantier par ses hommes.

Et, comme Dickson le prévoyait, on ne trouva rien, même pas un bout de cigarette de tabac noir.

3. Bow Street n° 92b

Mr. Harry Dickson,

Mon nom ne vous dira pas grand-chose, mais si vous voulez prendre des renseignements auprès de la Sûreté parisienne, je pense que vous aurez quelque plaisir à me rencontrer.

Je suppose qu'à l'heure actuelle, vous devez être sur la piste de certaines étoiles... Je ne parle pas «astronomiquement», mais je sais que vous me comprendrez. Eh bien, Mr. Dickson, il y a des années que je les recherche, moi, au firmament sombre du crime !

Si les renseignements vous plaisent, faites-moi signe.

Gustave Fenaux

Telle était la lettre que le détective venait de recevoir dans son courrier du matin.

— Demandez-moi Paris à l'inter, dit-il à son élève Tom Wills qui l'aidait à dépouiller les nombreuses missives, et que l'on me mette d'urgence en communication avec M. Livois, chef de la Sûreté.

Une demi-heure plus tard, la voix lointaine du chef parisien saluait joyeusement son célèbre confrère.

— Monsieur Livois, le nom de Gustave Fenaux vous dit-il quelque chose ?

Il y eut un instant de silence à l'autre bout du fil, puis une exclamation de la part de M. Livois.

— D'où sort-il, celui-là ?

Brièvement, Harry Dickson le mit au courant.

— Mais Gustave Fenaux est un des meilleurs détectives privés que nous ayons jadis eus en France, expliqua le chef de la Sûreté. Un peu vieillot et pratiquant

24

des méthodes désuètes, mais capable et intelligent. Il y a des années pourtant qu'il n'a plus travaillé avec nous, et nous l'avons cru quelque part en province occupé à planter ses choux, car il a pris de l'âge.

Harry Dickson remercia.

— Je vais aller le voir moi-même, Tom, dit-il. Son adresse se trouve au bas de sa lettre : Bow Street, n° 92b.

— Comment dites-vous, maître ?

Le détective, un peu étonné de cette question, répéta l'adresse.

Tom se gratta le menton d'un air perplexe.

— C'est curieux, cette adresse me dit quelque chose, mais quoi... je me le demande !

Le jeune homme fit des efforts pour ranimer ses souvenirs qui se dérobaient : tout à coup, il se frappa le front.

— Trouvé ! Un vieil original a été à moitié assommé dans cette cambuse et a refusé toute explication à la police, disant que cela ne la regardait pas.

— Ce sera probablement mon Gustave Fenaux, dit Harry Dickson, allons le voir !

Dans la matinée, ils se retrouvèrent devant une maison haute et étroite, ni plus ni moins lugubre que les autres demeures qui enlaidissent cette rue sinistre et ténébreuse.

Après avoir carillonné copieusement, puis frappé à tour de bras sur la lourde porte de chêne, hérissée de gros clous de fer, les deux détectives allaient se retirer, de guerre lasse, quand une lucarne s'ouvrit au dernier étage de l'immeuble, et une voix aigre et mécontente demanda ce que lui voulaient les gêneurs.

— Monsieur Gustave Fenaux ? s'enquit Harry Dickson à l'homme dont il ne voyait que le profil maigre et triste, au nez en bec-de-corbin et à la moustache tombante.

— Et que lui voulez-vous ? fut la peu amène réponse.

— Je me crois un peu son invité, riposta malicieusement le détective.

— Je descends !

Il fallut une longue attente à Dickson et à son élève avant d'entendre des pas traînants sur les dalles du corridor, derrière la porte close.

Des chaînes furent tirées, des verrous glissés, puis la porte s'entrebâilla.

— Harry Dickson? demanda l'homme maigre.

— Pour vous servir!

L'homme était revêtu d'un long *chambercloak*, qui soulignait encore son affreuse maigreur; ses yeux, noirs comme du charbon, scrutaient attentivement les visiteurs.

— Et que dit cet idiot de Livois sur mon compte? grinça l'étrange bonhomme.

— Tout ce qu'il y a de bon, puisque je suis ici.

— Allons, c'est bien, on reconnaît donc ma valeur à Paris! Mieux vaut tard que jamais, mais maintenant, cela m'est égal. Entrez, Mr. Harry Dickson, et vous aussi, jeune homme, Tom Wills, je présume?

Tom Wills s'inclina poliment en guise de réponse.

A pas lents, Gustave Fenaux précéda les deux visiteurs dans une sorte de salon mal meublé et plutôt malpropre.

De sa main squelettique, il désigna des sièges branlants.

— Prenez place. Je n'ai rien à boire dans la maison que de l'eau, et encore est-elle saumâtre. Je ne fume pas, car j'ai les poumons peu solides. Vous savez maintenant que je n'ai rien à vous offrir.

— Qu'à cela ne tienne! répondit Harry Dickson avec bonne humeur. Mais probablement, vous avez beaucoup à nous raconter.

— Beaucoup? Non! Mais quelque chose tout de même. Vous savez, il y a exactement huit ans que je les cherche, moi!

— Qui donc? demanda innocemment Harry Dickson.

— Ne faites pas l'ignorant, Dickson, vous savez bien que je veux parler des étoiles de la mort, grommela Gustave Fenaux avec humeur.

Harry Dickson garda le silence et considéra curieusement son interlocuteur.

Rien dans l'homme ne décelait le fameux détective dont avait parlé M. Livois au téléphone ; au contraire, des signes de décrépitude manifeste se découvraient facilement dans sa mine et dans ses attitudes.

Gustave Fenaux, à qui ce bref mais pénétrant examen n'avait pas échappé, ricana et frotta ses mains osseuses.

— Oui, je sais comprendre un regard aussi bien qu'une parole, si ce n'est mieux encore, Mr. Dickson ! Livois, cet idiot de Livois, a dû vous raconter des merveilles à mon sujet, et vraiment, je ne suis pas loin de mériter de tels éloges. Mais voilà que vous vous dites : et ce vieux gaga serait le policier devant lequel Livois ôte son bonnet galonné ? Allons donc ! A d'autres !

» Pas vrai, Dickson ? Ha ! ha ! laissez-moi rire !

Un rire caverneux, qui ressemblait plutôt à un râle qu'à une manifestation de joie, sortit de sa gorge à la pomme d'Adam démesurée.

Le détective n'avait pas bronché, mais quand l'homme se tut, il dit gravement :

— Vous avez dû en voir de dures, mon pauvre monsieur Fenaux. En Turquie, par exemple !

Les yeux du Français étincelèrent.

— Ah ! Vous voilà bien, Dickson ! Il y a quelque part un catalogue du crime dans votre cerveau et vous réussissez à en tirer profit. Eh oui, je les ai vues sur le Bosphore, ces hideuses étoiles qui semaient l'incendie et la mort là où elles luisaient. Cela, les journaux de l'époque vous l'ont appris, mais il y a plus longtemps qu'elles terrifient le monde. Elles ont paru près des sources de pétrole de Bakou et celles qui flambèrent alors brûlent encore ! Elles ont éveillé le grisou dans je ne sais combien de mines de charbon. Elles ont… mais cela suffit ! Qu'elles continuent si cela leur chante, et ce n'est pas moi qui les éteindrai, non, ce que je veux connaître, c'est leur secret. Que sont-elles ? Me l'apprendrez-vous ? Allons, parlez, grand Harry Dickson !

Il y avait de l'ironie, mais également du désespoir, dans ces paroles lancées d'une voix aigre et criarde.

Le détective se passa lentement la main sur le front et son visage ne refléta ni émotion ni sentiment.

— Mais je le pense bien! dit-il avec calme.

— Il le pense bien! rugit Fenaux. Et quand, je vous prie? Demain, après-demain ou plus tard? Pourquoi pas tout de suite?

— Disons dans la huitaine, voulez-vous, monsieur Fenaux?

— Dans la huitaine? Huit jours? Alors que moi, Gustave Fenaux, et je ne suis pas une chiffe, j'ai perdu huit ans de mon existence à tourner en rond pour ne rien apprendre à leur sujet? L'orgueil vous jouera de mauvais tours, un de ces jours, Harry Dickson!

— C'est pour me dire cela que vous avez voulu me connaître? demanda le détective avec la même calme bonhomie.

Gustave Fenaux sembla alors prendre conscience de son manque de savoir-vivre, un peu de rouge monta à son front, et sa voix se radoucit.

— Non, Mr. Dickson, je me fais vieux et parfois mon humeur s'en ressent. N'oubliez pas que le mystère des étoiles de la mort a mis un terme à mes plus belles espérances. Le résoudrai-je? Peut-être... mais alors même, mes forces seront éteintes et je ne vaudrai plus rien, je serai un homme fini. J'ai de la considération pour vous, même de l'admiration. J'ai suivi quelques-unes de vos enquêtes et de vos réussites, je vous ai envié alors, et j'ai dit que je n'aurais pu faire mieux. Ce que j'ai à vous dire, c'est ceci: moi, Fenaux, j'ai perdu mon intelligence, mes forces à poursuivre cet ennemi fantôme qu'est l'animateur des étoiles de la mort. Prenez garde, il pourrait vous en coûter autant, et peut-être davantage: la vie.

— Monsieur Fenaux, demanda doucement Harry Dickson, il y a peu de temps, vous avez été victime d'un attentat dans cette maison même... A-t-il trait à ces fameuses étoiles?

Le policier français jeta à son confrère un long regard noir.

— Oui! dit-il brutalement, et ce n'est pas la première fois, ni même la dixième, et ce ne sera pas la dernière!

— Puis-je savoir…

— Rien du tout, s'écria Fenaux. Je veux trouver, *moi*. Ne comprenez-vous pas, Dickson, que c'est désormais le seul but de ma vie? Que si vous éclaircissez le mystère et pas moi, toute cette vie s'effondre et n'a plus de raison d'être?

Harry Dickson le considéra avec pitié.

— Mon pauvre monsieur Fenaux, pourquoi ne pas joindre nos efforts? Vous savez bien des choses, et moi également, je pense connaître quelques détails intéressants.

Gustave Fenaux réfléchit.

— Je ne sais pas, murmura-t-il, laissez-moi réfléchir, je pense bien qu'un peu d'aide de votre part pourrait m'être utile.

— Que pensez-vous de Fred Malory? demanda Dickson à brûle-pourpoint.

Gustave Fenaux poussa un grognement de fauve en colère.

— Une sale bête, à coup sûr!

Harry Dickson lui jeta un regard étonné.

— Le croyez-vous coupable? demanda-t-il.

— Coupable de quoi? De diriger les étoiles de la mort? Oh! non, pour cela, il était trop bête et trop lâche. Mais il les a rendues possibles! Voilà ce que je dis, moi, Gustave Fenaux.

— Vous le connaissiez donc?

— Certainement! Il était à Constantinople quand les étoiles y ont surgi, à Port-Saïd également, et encore dans quelques autres patelins du vaste monde. Ah! la sale bête.

— Permettez, monsieur Fenaux, cela me ferait croire qu'il prêtait la main à ces actes criminels!

— C'est ce qui vous trompe. Les «étoiles» ont surtout voulu l'atteindre, ou plutôt ses entreprises, car qui dit

Malory, dit naphte, pétrole, gaz et charbon. Mais elles ne se sont pas contentées de ce qui pourrait être appelé une vengeance personnelle, elles ont pris goût au crime et ont étendu leur rayon d'action.

— De quoi accusez-vous le défunt Malory ?

— D'une seule chose, Dickson : d'avoir eu peur d'elles !

— Connaissait-il leur nature ?

Gustave Fenaux se mit à rire sauvagement.

— Pas du tout ! Ne vous ai-je pas dit qu'il était bête ? Mais il connaissait l'être formidable qui les anime, et il a eu peur de lui ! Il a vécu dans sa peur ! Je déteste la peur, moi !

Harry Dickson lui posa la main sur l'épaule.

— Et pourtant, vous avez peur, dit-il lentement, vous, Gustave Fenaux, *vous avez peur* !

Le détective français sursauta, puis il se couvrit la face de ses mains amaigries.

— Oui, Dickson, j'ai peur, moi ! Vous l'avez senti ! Vous êtes le premier à l'avoir découvert. Il y a des moments où je ne me reconnais pas moi-même.

— Mais pourquoi ? Pourquoi ? insista Harry Dickson.

Fenaux se tordit les mains avec désespoir.

— Je ne le sais pas moi-même ! C'est horrible, et je ne sais comment le dire.

— Horrible, dit le détective pensivement, ce fut le dernier mot de Hurley, au téléphone. Ecoutez ceci, Fenaux.

Il retraça en peu de mots la fin de Hurley, et Fenaux trembla comme une feuille dans le vent.

— Mort ! Oui, je vous dis, moi, qu'à l'autopsie, on verra que Hurley était mort avant d'être mis en pièces ! Que l'on examine son cœur : *il est mort d'avoir vu* !

— Et vous, Fenaux, avez-vous vu ?

— Non, pas encore… mais je sais que cela existe. C'est une injure à Dieu, Mr. Dickson ! Et pourtant, je veux voir, moi aussi.

La sueur dégoulinait du visage émacié de Fenaux : Harry Dickson sentit qu'une plus longue conversation lui serait particulièrement pénible et il le quitta sur des paroles de réconfort.

Pendant tout l'entretien, Tom Wills n'avait soufflé mot, mais une fois le coin de Bow Street tourné, il tira son maître par la manche.

— Pendant que vous parliez, maître, je ne suis pas resté inactif et je me suis même permis un petit larcin : tenez, voilà ce que j'ai trouvé dans un tiroir du bureau que je suis parvenu à explorer sans que Fenaux le voie.

Il tendit un objet métallique à Dickson.

C'était un scalpel mangé de rouille.

— Cela a dû être fortement ensanglanté à son heure, observa le détective, mais il y a bien longtemps que cet outil n'a plus servi.

— Et le tiroir était plein d'objets de ce genre, continua Tom Wills.

Harry Dickson fronça les sourcils.

— Etrange… se contenta-t-il de murmurer.

L'après-midi se passa en recherches plus ou moins fastidieuses pour les deux détectives. Recherches qui se faisaient dans de lourds tomes reliés en percaline noire, et qui formaient une puissante collection de journaux de toutes les parties du monde.

Quand le crépuscule vint, Harry Dickson débourra pour la vingtième fois sa pipe et se renversa sur sa chaise d'un mouvement qui lui était familier.

Tom Wills le regarda de côté et lut un peu de découragement sur ses traits.

— Rien de rien, maître ? s'enhardit-il enfin.

Harry Dickson haussa mélancoliquement les épaules.

— Mon Dieu, à vrai dire… non.

Tom Wills rougit un peu en disant que lui avait pourtant trouvé quelque chose, mais que c'était trop minime pour intéresser le maître.

— Il n'y a pas de choses minimes dans notre métier, Tom, pontifia le détective à dessein, je vous l'ai dit tant de fois et je crois utile de le répéter encore une fois aujourd'hui. Donc, faites-moi part de votre trouvaille.

— Hm... répondit le jeune homme, trouvaille... C'est que ce Fred Malory s'appelle en fait Fred Crugh, qu'il a changé de nom il y a quelque douze ans, en adoptant celui de sa mère, et qu'il possède un diplôme de médecin.

Harry Dickson attira vers lui une fiche de papier blanc et se mit à y tracer des signes en silence.

— Oui, dit-il enfin, je me souviens d'une ou deux choses au sujet du docteur Crugh. Pas très reluisantes, il est vrai !

» Non, continua-t-il en voyant Tom Wills se diriger vers une copieuse pile de registres et de cahiers, vous ne trouverez rien à ce sujet, mon petit.

» La justice aurait pu s'en mêler, mais le docteur Crugh-Malory préféra payer la forte somme pour que le silence se fît autour de certaine histoire.

— Et laquelle ?

— Une affreuse affaire de vivisection d'animaux, qui aurait pu valoir au cruel docteur jusqu'à trois ans de *hard labour*. Ajoutez à cela quelques vols de cadavres comme au temps des *Sandbagmen*, et vous saurez pourquoi le docteur Crugh a changé de nom et de situation sociale.

» Il s'est occupé alors surtout d'affaires commerciales ayant trait à divers carburants, et la fortune lui a souri follement de ce côté.

— Conclusion, rien qui vaille la peine d'être retenu dans l'affaire qui nous préoccupe, riposta Tom Wills.

— Peut-être... répondit prudemment Dickson, et le silence retomba dans la pièce obscure.

Tom regarda la nuit bleuir à la fenêtre et les lumières de Londres s'allumer ; du maître allongé dans un confortable fauteuil, on ne voyait que la pipe brasillant doucement.

— Tom, fit-il tout à coup, appelez au téléphone le chef du bureau de police de Bow, et demandez-lui le nom de l'habitant de Bow Street n° 92b, il y a douze ans environ.

Quand la réponse parvint au bout du fil, Tom Wills poussa un cri :

32

— Non, pas possible!

— Quoi donc, petit? demanda le détective avec calme.

— Mais c'est le docteur Frederic Crugh qui l'habitait alors, cette fichue maison! s'exclama le jeune détective.

— Je m'en doutais un peu, dit malicieusement Harry Dickson.

— Mais Gustave Fenaux ne nous en a rien dit! protesta Tom.

— Ce pauvre diable travaille surtout pour lui-même, expliqua Harry Dickson.

— Par intérêt?

— Je ne le crois pas, par orgueil peut-être, que sais-je? Gustave Fenaux ne me semble plus jouir de toutes ses facultés, un sentiment morbide le pousse à résoudre un problème, plus que probablement terrifiant. Certainement, il a un secret.

— Et ce secret se trouve dans la maison de Bow Street, 92b, s'écria Tom Wills en se frappant le front. Il y a à peine quelques semaines, il a failli y être assommé, et il a obstinément refusé de laisser la police se mêler de ses affaires.

— Vous méritez un bon point, mon garçon, et même plus d'un. Et maintenant, que pensez-vous des vieux scalpels rouillés?

— Cela me fait penser que la maison a dû être louée à Fenaux, toute meublée et telle qu'elle était lors du départ de Malory, *donc avec son secret.*

— Vous faites des progrès étonnants, Tom, répondit le maître avec une satisfaction non dissimulée.

— Mais ce secret, voilà le hic... comment l'arracher à Fenaux, se demanda Tom à mi-voix.

— A Fenaux? Rien à faire, mon gars. Mais j'espère que la maison même sera meilleur prince.

— C'est-à-dire que...?

— Nous allons faire un petit cambriolage en règle, Tom Wills, et un coup qui frise presque le crime, puisque nous prendrons nos seringues à chloroforme avec nous, à l'intention de ce cher Gustave Fenaux!

4. Intermède tragique

Il y a loin de la coupe aux lèvres.

Tom Wills se leva dans le but de faire de la lumière, et pour atteindre le commutateur, il devait passer derrière le maître quand, d'un geste ferme et silencieux, celui-ci l'arrêta par le bras.

— Chut, fit-il très doucement, ne bougez pas, j'ai mon revolver prêt.

— Qu'y a-t-il? demanda le jeune homme sourdement.

— Voici une demi-heure que je ne fume plus. En plus, quand je fume, c'est du tabac très odorant, et que sentez-vous?

Tom Wills aspira longuement l'air.

— Une fumée toute fraîche et qui... ne sent pas... comme la vôtre, maître!

— Bien! ne bougez pas, nous sommes peut-être en danger de mort.

— Je vous en prie, dit Tom tout bas, dites-moi quelque chose, qu'y a-t-il?

— Le tabac noir! souffla Harry Dickson.

Tom sentit une odeur âcre flotter dans la pièce.

Autant que l'ombre le lui permettait, il fouilla la chambre du regard.

Rien d'insolite n'y était visible; la porte n'avait pas été ouverte depuis des heures, mais les ombres dans les coins semblaient redoutables.

A cette minute, une maison d'en face s'illumina et les reflets de ses lumières éclairèrent la chambre de travail du détective.

Tom poussa un soupir de soulagement: on ne voyait rien.

Il allait se diriger de nouveau vers le bouton électrique et allumer les lampes quand, pour la deuxième fois, son maître le retint.

— Inutile, murmura le détective, et n'oubliez pas qu'en pleine clarté, nous formerions une trop belle cible.

— Alors, cela vient de la rue? s'enquit Tom. Pourtant, l'odeur du tabac noir ne pourrait de là-bas venir jusqu'à nous.

Pour toute réponse, le détective leva lentement le bras et, du doigt, désigna la fenêtre.

Il y avait là une minuscule prise d'air, que le jeune homme ne se rappelait pas avoir jamais vue ouverte.

Or, aujourd'hui, elle l'était et un mince filet d'air s'infiltrait par là dans la pièce, et y apportait l'odeur du tabac noir.

— Pas un mouvement, Tom, ordonna le détective à voix basse.

L'élève suivit des yeux le regard du maître, et le vit fixé sur la petite ouverture. Il vit également que sa main reposait sur son bureau et tenait un revolver braqué dans cette direction.

Comme l'attente se faisait longue! Du dehors venaient les bruits de la rue pleine de monde, car le temps était au beau fixe, et c'était l'heure où les bureaux et les magasins se vidaient de leur personnel.

«Une heure fort peu choisie pour un attentat!» se dit Tom Wills, et il allait communiquer cette réflexion à son maître, quand sa voix s'arrêta dans sa gorge et une véritable terreur s'empara de tout son être.

Un point lumineux venait d'apparaître à la fenêtre devant la prise d'air ouverte: une des terribles étoiles de la mort.

Mais Harry Dickson aussi avait vu le point igné vrillé dans les ténèbres: rapidement, il leva son revolver et fit feu.

De ce qui suivit, ni lui ni Tom n'eurent grande souvenance: une lueur aveuglante les entoura, puis un tumulte géant hurla.

La rue rouge comme un feu de forge sembla soudain devenue un cratère en pleine éruption. Des cris de frayeur et de démence montèrent, puis des plaintes déchirantes.

Mais ni le détective ni son élève Tom Wills ne les entendirent. Ils ne virent pas davantage les scènes d'horreur qui emplissaient la rue populeuse.

Ils étaient étendus immobiles et sanglants parmi les débris des meubles du cabinet de travail, tandis que le vent du soir, embrasé par des incendies multiples, entrait librement par les fenêtres déchiquetées.

Ainsi eut lieu l'odieux attentat de Baker Street, accompli par des criminels inconnus, à l'aide d'une machine infernale d'une rare puissance.

Il y eut plusieurs morts d'hommes à déplorer et des dégâts considérables, de nombreux blessés prirent le chemin des hôpitaux et des cliniques, et parmi eux, Harry Dickson et son élève Tom Wills.

Heureusement, les médecins constatèrent que leur vie n'était pas en danger, mais qu'ils seraient condamnés à un repos d'assez longue durée.

Dès que les docteurs leur permirent une visite, ce fut Goodfield, le superintendant de Scotland Yard, qui vint s'asseoir à leur chevet.

Le brave policier larmoyait ou rugissait de fureur tour à tour, roulant les plus ineptes projets de vengeance dans sa bonne grosse tête.

— Ainsi, vous ne vous souvenez de rien d'autre que de cette maudite étoile de la mort paraissant à la fenêtre ? s'enquit-il en prenant fiévreusement des notes sur un gros carnet.

— Mon Dieu, Goodfield, gémit Tom, si vous vouliez me permettre de réfléchir un peu plus tard qu'aujourd'hui. Je ne sais pas... si, toutefois, mais c'est d'un bête... quelques secondes avant l'attentat, il m'a semblé entendre un petit air qui se joue encore dans ma tête maintenant : une vieille valse, je crois... la *Valse bleue* :

> *Pourquoi sur mon chemin*
> *M'as-tu tendu la main*
> *Pourquoi ne pas m'aimer*
> *Tu sais bien que je t'aime...*

chantonnait Tom en français.

Goodfield prit congé d'eux en secouant la tête : la *Valse bleue*, décidément, ne lui apprenait rien de particulier.

Mais à peine le superintendant fut-il parti que Dickson leva sa tête meurtrie et jeta à son élève un regard reconnaissant.

— Tom, murmura-t-il avec effort, cette valse... je ne me souviens pas de l'avoir entendue. Mais tâchez de vous souvenir : était-ce un piano ou une radio qui la jouait quelque part ?

Tom se leva péniblement sur son coude endolori.

— Mais non, maître, je crois plutôt que c'était un orgue de Barbarie jouant en sourdine.

Harry Dickson poussa un profond soupir, et Tom crut y discerner une sorte de joie. Il se tourna de nouveau vers le maître qui se rendormait.

— Mr. Dickson, cela vous dit-il quelque chose ?

— Le premier chaînon de la grande chaîne, mon petit Tom... votre souvenir est un pas de géant vers la solution, murmura Dickson d'une voix endormie.

5. Les terribles nuits de Mr. Hewitt

Il fallut aux deux détectives une quinzaine de jours pour se rétablir, mais leur guérison fut parfaite. Quelques cicatrices roses seules persistaient sur leurs corps, souvenirs de l'attentat de Baker Street.

Ils reçurent leur autorisation de sortie le même jour et quand ils furent retournés chez eux, ils eurent la joie de retrouver leur logis complètement restauré, avec des meubles nouveaux et les livres et les documents remis en ordre et en place.

C'était une attention qui venait d'en haut et à laquelle Dickson se montra particulièrement sensible.

Mrs. Crown les reçut avec des larmes de joie en les voyant rétablis, mais son émotion ne lui avait pas fait oublier ses devoirs de maîtresse de maison et un déjeuner copieux et choisi fumait sur la table.

Après avoir fait largement honneur aux délicieuses grillades, au caviar, aux olives et aux anchois, Harry Dickson annonça que la quinzaine perdue allait être vivement rattrapée.

Déjà la veille, il avait envoyé une missive détaillée à Scotland Yard, et comme il venait d'avaler la dernière gorgée de thé de Chine, Goodfield s'annonça lui-même.

— Mr. Dickson, s'écria-t-il dès qu'il fut entré, j'ai exécuté fidèlement tous vos ordres. Mais je regrette de devoir vous apprendre que, depuis des semaines, aucun joueur d'orgue de Barbarie n'a été vu dans les environs.

» Ce mode de mendicité disparaît d'ailleurs de Londres, et se confine dans les quartiers populeux de Soho ou de Poplar. Ceux que mes hommes ont pu atteindre sont tous de pauvres diables sans malice, dont les plus coupables ne le sont que de rupture de ban.

— Je m'en doutais un peu, répondit Dickson, mais je ne pouvais rien laisser au hasard, et je vous étonnerai peut-être, mon bon Goodfield, en disant que votre résultat négatif entre plutôt dans mes visées. Ah! ce n'est pas un musicien ordinaire que Tom Wills a entendu en même temps que surgissait l'étoile de la mort. Mais qu'importe, je ne crois pas trop m'avancer en vous disant que d'ici peu de jours, ce mystère n'en sera plus un.

— Vraiment, Mr. Dickson? haleta le superintendant.

— Et l'autre renseignement, Goodfield? demanda négligemment le détective.

— Ah, oui, concernant le particulier de Bow Street? Envolé! Fuitt! Fuitt! comme une fumée! La maison est fermée et oncques n'a revu ce vieux fou! Serait-ce l'un des bandits?

Harry Dickson se mit à rire.

— Et qui vous dit qu'il y a des bandits en jeu?

— Non, mais... vous plaisantez! Allez-vous me faire délivrer des mandats d'arrêt contre des étoiles, par exemple?

— Pas le moins du monde, répondit Dickson en riant de bon cœur, mais je ne vois pas encore l'utilité d'un

38

mandat d'arrêt pour le moment, si jamais il y en avait dans cette affaire.

— De mieux en mieux! grogna Goodfield, décontenancé.

— Croyez-moi, cher ami, je ne cherche pas à faire le mystérieux, mais le fait est que, tout en me sentant nettement sur la piste du crime, je n'ai pas la moindre idée du genre de criminel que je poursuis. Ce n'est pas la première fois que cela m'arrive, rappelez-vous l'affaire de la maison du Scorpion et tant d'autres encore.

— Et qu'allons-nous faire? s'enquit vivement Goodfield.

— J'aime bien ce «nous», mon brave, cela signifie que Scotland Yard veut être des nôtres. Avez-vous un mandat de perquisition pour la maison de Bow Street?

— L'attorney général vient de me le signer ce matin même.

— Bravo! Mais nous allons attendre le soir pour ce faire. Et j'ai toutes les raisons de vouloir que cela se fasse sans tambour ni trompette, sans que du voisinage on se doute de quelque chose. Qui est le propriétaire actuel de cette sombre masure?

— Un nommé Evans, un gentilhomme campagnard qui habite au-delà d'Epping, dans la région forestière.

— Avez-vous des renseignements à son sujet?

— J'ai fait jouer le téléphone hier et ce matin encore. C'est un particulier peu gênant et peu visible qui est venu s'établir dans une petite propriété de la région il y a quatre ans. On croit qu'il a habité les colonies africaines. Comme sa ferme est très isolée et qu'il ne doit de l'argent à personne, on ne s'occupe guère de lui. Il faut dire qu'il y a un tas de gens dans son cas dans ces parages, aussi ne semble-t-il guère bien intéressant.

— Possible, dit Dickson, on verra cela plus tard si nécessité il y a.

— Donc, c'est tout pour le moment?

— Tout? Attendez un peu, Goodfield, dit Harry Dickson d'un air bizarre, fumez-vous du tabac noir?

— Moi? Que le Ciel me préserve de cette horreur!

Pourquoi me demandez-vous cela ? s'écria le brave policier.

— Parce que votre uniforme est imprégné de cette âcre odeur. Où le mettez-vous la nuit ?

Goodfield sembla plus interloqué que jamais.

— Vous avez l'art de poser des questions sans queue ni tête, Mr. Dickson, dit-il d'un air un peu vexé. Mais pour en revenir à cet uniforme, sachez que c'est ma tunique nº 2, qui est reléguée dans la penderie de mon bureau de Scotland Yard. Je l'ai mise ce matin parce que mon vêtement habituel avait un accroc. Voilà tout ce que je puis vous dire à ce sujet.

— Retirez-vous dans ma chambre à coucher, Goodfield, ordonna le détective, choisissez celui de mes complets qui vous permettra de regagner votre domicile sans paraître trop ridicule et laissez-moi votre uniforme.

De stupeur, Goodfield ouvrit la bouche toute grande, mais le visage de Dickson était si grave qu'il se hâta de lui obéir.

Comme la porte de la chambre à coucher se refermait derrière lui, le détective se frappa violemment le front.

— Voyez-vous que... murmura-t-il en se ruant contre la porte. Goodfield, pour l'amour de vous-même et de nous tous : *ôtez votre uniforme avec prudence* ! Comme s'il était en cristal !

On entendit une exclamation étouffée de Goodfield derrière la porte, et quelques instants plus tard, il tendit précautionneusement par la porte entrebâillée la fameuse tunique nº 2.

Harry Dickson la prit avec des soins infinis et commença à l'examiner ; tout à coup, Tom Wills vit ses mains trembler.

— Goodfield ! venez vite ! Que je vous montre cela !

Le superintendant parut, en pantalon et en chemise.

Le détective lui tendit une poignée pelucheuse qu'il venait de tirer d'entre l'étoffe et la doublure.

— Savez-vous ce que c'est, Goodfield ?

— Mais de l'ouate, avec laquelle on rembourre les épaules de nos uniformes, répondit Goodfield.

— Une bien dangereuse ouate, en vérité! Non, mon cher, c'est du fumi-coton! Une simple claque amicale sur votre épaule et vous sautiez en l'air! Revêtu de cet uniforme infernal, vous étiez un véritable homme-bombe, Goodfield!

Le pauvre Goodfield poussa un hurlement d'épouvante, et lorsqu'il fut enfin affublé d'un complet de Dickson — qui ne lui allait certes pas comme un gant —, il rejoignit rapidement ses amis.

— C'est abominable! criait-il, ces bandits s'entendent comme personne à jouer avec les explosifs et les matières incendiaires. Mr. Dickson, je vous en prie, ne perdez pas de temps. Traquez-les! Exterminez-les! Voyons, ne voyez-vous aucun nom à inscrire sur un des mandats d'arrêt en blanc que je possède et que je tiens à votre disposition sur-le-champ?

— Non, non, Goodfield, je vous le répète, répondit Harry Dickson avec un sourire tant soit peu malicieux, ces papiers ne me serviront probablement pas à grand-chose, mais quant à aller vite en besogne, voilà ce que je vous promets. Ce soir, vous m'attendrez, sur le coup de dix heures, dans Bow Street, avec deux bons agents.

— Deux? Et si je disais une brigade d'élite? De pareils criminels nécessiteront bien une telle force.

— Pourquoi pas un régiment de Highlanders? Non, Goodfield, vos deux hommes suffiront amplement. Je pourrais même m'en passer, je crois.

— Comme vous voulez; à ce soir, Mr. Dickson, il me tarde de mettre la main à la pâte! dit Goodfield avec énergie.

La journée se passa trop lentement au gré de Tom Wills, qui voyait que son maître se plongeait de nouveau dans la lecture d'un tas de coupures de journaux et d'articles scientifiques.

Mais l'après-midi apporta quelque diversion à son ennui, notamment par la visite de Mr. Hewitt, directeur des Gas-works incendiés.

Mr. Hewitt paraissait anxieux et abattu. On aurait eu quelque peine à reconnaître en lui l'homme dominateur et hautain qui présidait aux destinées de ses vastes usines.

— Bonjour, Mr. Hewitt, dit Harry Dickson sans autre préambule, remettez-vous, j'ose espérer que la fin du cauchemar est proche, pour vous comme pour les autres.

— Puissiez-vous dire vrai, Mr. Dickson, gémit le directeur.

— A propos, à combien d'attentats contre votre vie avez-vous échappé depuis celui de Baker Street où mon élève et moi, nous avons failli laisser la nôtre ?

— Mr. Dickson ! s'écria Mr. Hewitt, pour l'amour de Dieu, que savez-vous ?

— Rien de plus que ce que vous allez m'apprendre sur l'heure, cher monsieur, mais j'ai quelque peu appris à lire sur la mine des gens, et la vôtre est bien défaite, allez. Il n'y a que des gens échappés à un péril terrible et qui en redoutent d'autres encore, qui font une tête comme vous.

Mr. Hewitt se couvrit le visage de ses mains comme s'il chassait une vision d'horreur et ne put balbutier que d'incompréhensibles paroles.

— Je vais vous aider, Mr. Hewitt, continua Dickson avec un regard de pitié sur l'homme effondré et sans énergie qui se tenait devant lui. Fumez-vous du tabac noir ?

Le directeur bondit comme s'il venait d'être frappé par une décharge électrique.

— Du tabac noir... haleta-t-il, jamais... mais comment savez-vous... ?

— Que l'odeur était autour de vous au moment du péril ?

— Oui, oui, c'est vrai ! s'écria Mr. Hewitt.

— Connaissez-vous la *Valse Bleue* ? continua le détective.

Mr. Hewitt ouvrit des yeux étonnés.

— Je ne suis pas musicien, Mr. Dickson, et je ne vais

jamais au music-hall, ni au dancing, ni même au théâtre.

— Alors, Tom Wills aura l'obligeance de vous la remettre en mémoire.

Le jeune homme s'exécuta de bonne grâce.

Pourquoi sur mon chemin
M'as-tu tendu la main...

Il ne put pas terminer le couplet, car déjà Mr. Hewitt s'était remis à crier :

— C'est inouï ! Comment savez-vous ? J'ai entendu cet air infernal avant que...

— Allons, racontez-nous cela, Mr. Hewitt, demanda Harry Dickson.

— Ce ne sera pas long, Mr. Dickson, mais ce ne sera pas moins incompréhensible et terrifiant. Il y a exactement huit jours de cela. J'avais travaillé assez tard, et il était minuit sonné quand je me retirai dans ma chambre à coucher.

» Je suis célibataire et n'ai que deux vieux domestiques qui ne sont pas habitués à veiller et se couchent tôt.

» J'allais m'endormir quand un air traînant joué par un orgue de Barbarie retentit presque sous mes fenêtres.

» Cela m'agaça et je résolus de dire son fait au gêneur nocturne.

» J'ouvris la fenêtre toute grande et regardai dans la rue. Middelton Street, où j'habite, est solitaire à cette heure. Je fus donc bien étonné de voir la rue complètement vide, et pourtant la valse continuait, triste et lente ; en même temps, je sentais l'odeur écœurante du tabac français, dit tabac gris ou tabac noir.

» A ce moment, je n'étais qu'intrigué, mais jugez de mon effroi quand, en me penchant davantage, je vis des points lumineux voltiger autour de moi, comme si des étoiles errantes étaient descendues jusqu'à quelques yards au-dessus de ma tête.

» — Les étoiles de la mort ! m'écriai-je.

» Au même instant, ce fut comme si un être invisible me prenait à la gorge.

» Ce n'était pas une créature vivante qui venait de m'assaillir, mais une atroce vapeur verdâtre qui s'élevait en colonne au milieu de ma chambre, et qui obscurcissait déjà la lampe allumée au-dessus de mon lit.

Mr. Hewitt se tut un instant pour reprendre profondément haleine.

— J'ose dire, Mr. Dickson, que je suis un homme aux résolutions promptes ; je me rendis compte immédiatement que, si je faisais un pas à l'intérieur de ma chambre, je tomberais victime de l'effroyable gaz asphyxiant.

» J'habite au premier étage au-dessus de l'entresol qui est pourvu d'un petit balcon. Résolument, j'enjambai le rebord de la fenêtre, et je me laissai choir sur ce balcon. Au-dessus de moi, les étoiles de la mort évoluaient comme des lucioles et je crus entendre d'étranges cris de colère.

» Fort heureusement, la porte-fenêtre du balcon n'était pas fermée, et d'un bond je fus à l'intérieur.

» Quand j'eus alerté mon personnel, je me risquai prudemment dans ma chambre à coucher mais, sans doute à cause de la fenêtre ouverte, je ne trouvai plus trace de gaz délétères.

— De gaz, soit, l'interrompit Dickson, mais rien d'autre ?

— Une légère brûlure du tapis…

— Et pas un petit bout de cigarette ? demanda le détective.

— Si, Mr. Dickson, le voici !

Harry Dickson prit le mégot et grogna de satisfaction.

— Je m'y attendais bien ! Ne trouviez-vous pas étrange, Mr. Hewitt, que les soi-disant étoiles pussent évoluer comme en plein ciel ?

— Je me le suis dit, en effet.

— Il y a sans doute tout un faisceau de fils téléphoniques qui longe la façade de votre maison, à la hauteur des étages supérieurs ?

— C'est tout à fait exact, Mr. Dickson, répondit le directeur, ahuri.

— A cela aussi, je m'attendais ! Ah ! il y a des canailles rudement habiles de par le monde, Mr. Hewitt, dommage qu'elles fassent un si sinistre emploi de leur intelligence.

— Mais qui ? demanda le directeur, intrigué.

Harry Dickson fit un geste évasif.

— L'heure n'est pas venue pour le dire, Mr. Hewitt, mais elle est bien proche. Voulez-vous me conter le second attentat ?

Mr. Hewitt frissonna comme si un hideux souvenir lui revenait.

— Ce n'est pas un attentat à proprement parler, Mr. Dickson, c'est quelque chose que j'ai entrevu hier soir, comme je travaillais à mon bureau.

» J'ai vu quelque chose me regarder à travers la fenêtre : quelque chose que je ne puis décrire, un visage... non, je ne sais, mais une laideur effrayante, une figure inachevée ou décomposée... Je ne puis mieux m'exprimer.

Harry Dickson hocha la tête.

— J'ai l'impression, Mr. Hewitt, que vous ne pourriez pas mieux me dépeindre la chose apparue, répondit pensivement le grand détective.

Le directeur s'était tu et passait un mouchoir sur son front baigné de sueur.

— A quel étage se trouve votre bureau, Mr. Hewitt ? demanda Dickson.

— J'attendais cette question, Mr. Dickson. Depuis l'incendie, nous avons dû procéder à quelques changements provisoires, et mon bureau personnel se trouve au second, ce qui représente une belle hauteur.

— Aucune trace d'échelle ni d'escalade, sans doute, demanda brièvement le détective, et pas le moindre bruit, n'est-ce pas ?

— Tout juste !

45

— Bien !

Le mot tomba froid et bref, comme un couperet. Tom Wills et Mr. Hewitt purent lire une vive satisfaction sur le visage de Dickson, et Tom en fit la remarque.

Le détective se contenta de se frotter énergiquement les mains en disant que tout concordait, que tout était dans l'ordre des choses, et au surplus de la plus saine logique — ce qui eut le don de faire béer de surprise le hautain Mr. Hewitt.

Harry Dickson fit apporter du whisky, de l'eau de Seltz et des cigares, et invita son visiteur à se rafraîchir.

Un large *highball* était le bienvenu et un peu de couleur revint sur les joues pâles du directeur des Gasworks.

— Maintenant, Mr. Hewitt, dit Dickson en reposant son verre vide, parlez-moi de Mr. Malory, qui fut de son vivant un de vos principaux administrateurs, si je ne me trompe.

Le visage du visiteur se rembrunit. On voyait manifestement qu'il lui en coûtait de parler du défunt.

— Médire d'un mort n'est pas digne d'un gentleman, Mr. Dickson, mais pourtant, je vous dois la vérité. Feu Fred Malory était un homme intelligent, mais cruel et sans cœur ; je crains qu'il ne fût également sans scrupule, bien que je n'en possède pas la preuve absolue.

— Expliquez-vous, autant que cela vous semble possible, demanda Harry Dickson.

— Il nous était précieux entre tous nos collaborateurs. N'avait-il pas découvert un procédé nouveau et fort peu coûteux pour l'extraction du gaz de houille ? Mais il essaya un jour de faire servir nos laboratoires à des recherches que la loi et nos statuts défendaient strictement.

— Lesquelles donc ?

— Sur les gaz asphyxiants, dit Mr. Hewitt après une courte hésitation.

— Et sur des explosifs ? compléta Dickson.

— Je le crains, car nous avons trouvé dans les laboratoires des matières qui n'auraient pas dû y être, de la

46

nitroglycérine, et même des échantillons de trinitroto-
luène.

— *All right!* s'exclama joyeusement Dickson. Et,
cher Mr. Hewitt, l'incendie de vos réservoirs pouvait-il
procurer un bénéfice quelconque au sieur Malory?

— Quant à cela, non, Mr. Dickson, bien au contraire,
les diverses compagnies d'assurances ne couvrent que
bien imparfaitement nos pertes.

— Bien!

Pour la seconde fois, ce mot dénotait une vive satisfaction, incompréhensible pour Tom Wills et
Mr. Hewitt qui s'interrogèrent du regard.

— Mr. Malory résidait beaucoup à l'étranger?
demanda nonchalamment Dickson.

— Beaucoup. Il a séjourné dans tous les pays du monde, et pendant plusieurs années, il a habité la Turquie.

— Je crois que lors du sinistre des Gas-works, il était
à l'étranger, mais où?

Mr. Hewitt secoua la tête. Il n'en savait rien, si ce
n'est que Malory avait fait une apparition bien soudaine
au lendemain de l'incendie.

— Mr. Hewitt, dit Harry Dickson en se levant enfin,
je crois que l'ennemi et les étoiles de la mort, en s'en
prenant à vous, n'ont eu d'autre but que de vous empêcher de venir me raconter tout cela.

» Il y a autour de nous quelqu'un qui désire éperdu-
ment garder un secret, qui est déjà fortement compro-
mis. Cela, j'ose vous le dire, foi de Harry Dickson!

Sur le seuil de la porte, Harry Dickson, comme
frappé d'une idée subite, fit signe à Mr. Hewitt d'attendre encore.

— Vous avez connu Fred Crugh à l'Université,
Mr. Hewitt?

Le directeur se retourna brusquement, livide et tremblant.

— Oui, je l'ai connu à Cambridge, puis ici à Londres,
c'est vrai, dit-il d'une voix indistincte.

— Au fond, vous lui devez votre situation aux Gas-
works?

Mr. Hewitt s'appuya contre le mur.

— Qui vous l'a dit ?... je ne crois pas que...

Harry Dickson lui jeta un regard profond où se lisait de la pitié.

— Il y a quelques années, Mr. Hewitt, vous étiez un médecin sans clientèle de qui Crugh Malory fit, du jour au lendemain, un directeur d'usine aux appointements quasi fabuleux.

Mr. Hewitt tremblait comme une feuille.

— Notez que je ne vous accuse de rien, Mr. Hewitt, dit Dickson doucement, je suis convaincu que vous êtes un honnête homme. Mais je crois aussi que cette largesse de Malory avait une raison. Il désirait votre silence ! Sur quoi donc, Mr. Hewitt ?

Le directeur roulait des yeux hagards.

— Non, non, ne me jugez pas si mal ! Je ne sais rien, mais j'ai voulu faire croire à Malory que je savais quelque chose.

Un silence très lourd tomba. Mr. Hewitt s'était avancé au milieu de la chambre ; cet homme fort et hautain semblait devenu par magie un vieillard décrépit et débile.

— J'attends, dit simplement Dickson.

Mr. Hewitt se mit à parler à voix basse, rapidement, comme s'il avait hâte d'achever une confession qui devait lui peser depuis longtemps.

— J'étais, comme vous venez de le dire, un médecin sans clientèle, j'avais une petite situation de prosecteur à l'amphithéâtre de dissection d'un hôpital de Londres, ce qui me permettait tout juste de ne pas mourir de faim. J'avais eu l'occasion de rendre quelques services à mon confrère le docteur Crugh, qui devint plus tard Fred Malory.

— Passons, dit Dickson, je crois que c'était en volant quelques cadavres pour son compte à la morgue de l'hôpital et en lestant les cercueils de pavés, n'est-ce pas, docteur Hewitt ?

Le pauvre homme baissa la tête.

— C'est vrai, mais j'étais tellement pauvre ! Un jour

que j'étais absolument dénué d'argent, je suis allé le trouver pour lui demander du secours. Quand j'ai frappé à sa porte, il n'a pas ouvert. Mais je connaissais une petite porte dérobée dans une ruelle voisine, qui, par une suite de courettes abandonnées, pouvait donner accès à sa maison.

— Oui, pour l'entrée des sujets de dissection, dit Dickson. Continuez, docteur.

Il insista particulièrement sur ce titre de docteur, au point que Mr. Hewitt baissa la tête davantage, comme sous le poids de la honte.

— Je suis donc entré. Mais comme je faisais quelques pas dans le vestibule, j'ai été saisi par des plaintes affreuses. On torturait un homme, il n'y avait pas à en douter! Fou de colère, je me suis élancé vers le laboratoire. La porte en était fermée, des hurlements de damné s'élevaient derrière elle...

» J'ai frappé violemment, et j'ai entendu Crugh pousser une exclamation de terreur, puis une autre voix... ah! c'était horrible.

» Comme je menaçais d'enfoncer la porte, Crugh a daigné l'ouvrir après un temps fort long, pendant lequel je l'ai entendu déplacer des meubles très lourds.

» L'autre voix s'était tue! Quand je suis entré, il n'y avait que Crugh dans la pièce, mais il ruisselait littéralement de sang frais et sa table en était éclaboussée.

» — Hewitt, me dit-il, ce qui s'est passé ici fut dans l'intérêt de la science. Voulez-vous oublier ce que vous avez pu voir ou entendre? Vos conditions seront les miennes.

» ... j'ai exigé une vie à l'abri de tout souci matériel, Mr. Dickson... j'ai tout dit, je vous le jure.

— Non, dit Harry Dickson, car vous aviez reconnu la voix derrière la porte, celle qui vous implorait, docteur Hewitt.

— C'est vrai, Mr. Dickson, dit Hewitt en un souffle.

— C'était? demanda implacablement le détective.

— Peter Albernon, un jeune étudiant très pauvre et sans famille qui l'aidait dans ses travaux.

— Et qui a disparu, n'est-ce pas?

Mr. Hewitt ne répondit pas.

Après un nouveau silence, le détective demanda :

— Vous parliez tout à l'heure de l'intelligence de Malory? Le considérez-vous comme un vivisecteur cruel et vil ou comme un savant?

Hewitt se redressa.

— Un savant, un grand savant, devant la science duquel je m'incline, l'admirant tout en frémissant d'horreur.

— Docteur Hewitt, dit Dickson d'une voix particulièrement grave, en refusant votre secours à un malheureux qui vous appelait dans je ne sais quelle affreuse détresse, vous avez commis une lâcheté sans nom. En faisant acheter votre silence, votre mauvaise action est devenue une forfaiture. Mais je veux croire en votre remords, rachetez votre terrible erreur.

— Je le veux! Oh! je le veux de toute mon âme! s'écria Mr. Hewitt.

— Je vous crois et vous en donne l'occasion. Vous allez marcher avec nous contre le péril des étoiles de la mort. Et notez que, ce faisant, vous travaillez encore pour votre sécurité personnelle!

» Je suis revenu quelque peu sur l'idée que j'ai émise tout à l'heure. Les étoiles de la mort vous poursuivent *par vengeance*! Et je ne puis leur donner complètement tort, malgré leurs crimes antérieurs. Mais qu'importe! Vous allez partager les dangers qui nous attendent.

— Oh! merci!...

— Ne me remerciez pas trop vite, l'épreuve sera lourde pour vous. Ce soir, vous serez à dix heures devant le n° 92b de Bow Street.

— La maison du docteur Crugh! s'écria Hewitt en blêmissant.

— Oui, là où vous avez signé le pacte avec ce démon.

— Mr. Dickson, j'y serai, dit Mr. Hewitt d'une voix ferme.

6. La maison du mystère

Dix heures. Dans la brume, un haut-parleur répète le lamento du carillon de Westminster et la grave sonorité de Big Ben. Le *fog* enfume Londres, trouble les formes, brouille les lumières.

Les policiers de Scotland Yard ont quelque peine à reconnaître les silhouettes qui surgissent du brouillard et s'approchent d'eux.

Harry Dickson, Tom Wills et Mr. Hewitt sont présents à l'appel. Goodfield leur souhaite la bienvenue. Il a hâte de se mettre à l'œuvre et le dit au détective, qui se dirige vers le n° 92b de la rue.

— Uniforme n° 1, Goodfield? demande Dickson avec une pointe d'ironie.

— Et comment! s'exclame le brave homme. Celui-là, au moins, ne m'enverra pas dans la lune!

Et précautionneusement, il tâte du doigt les épaulettes de sa vareuse.

L'heure des bons mots était close, celle d'un travail hasardeux commençait.

Harry Dickson sortit de la poche de son ulster la mignonne trousse de cambrioleur que nous lui connaissons et explora la serrure d'un crochet expert.

Un déclic se fit entendre, mais la lourde porte résista.

— Les verrous sont mis, expliqua le détective.

— Alors, c'est que l'homme est encore là-dedans... mort peut-être, opina Goodfield, et ses agents approuvèrent de la tête.

Mr. Hewitt intervint.

— Vous savez qu'il y a une petite porte dans la ruelle traversière, Mr. Dickson, murmura-t-il.

— C'est ma foi vrai, répondit celui-ci, allons voir.

Ils s'engouffrèrent dans une venelle étroite où s'ouvraient des portes de service et des portails de remises et d'écuries.

— La voici, dit Mr. Hewitt à voix basse, en désignant un mince portillon de bois déteint, je reconnais bien ce passage.

Un seul tour de clé suffit à faire fonctionner une serrure des plus primitives, puis à faire crier la porte sur ses gonds rouillés.

Une odeur de moisissure, un souffle de crypte bondit sur eux, du fond d'une enfilade de courettes obscures.

Mr. Hewitt, sans souffler mot, avait pris la tête de la file.

Tom Wills fit fonctionner sa lampe de poche, mais Hewitt se retourna brusquement vers lui.

— Pas de lumière je vous en prie !

— Pourquoi ? Que craignez-vous ? La maison est vide, demanda Tom Wills.

— Faites ce que vous dit Mr. Hewitt, ordonna Dickson d'une voix mécontente.

Le détective dépassa les autres et arriva à la hauteur du directeur.

— Vous croyez à une présence ? demanda-t-il très bas.

— Oui, Mr. Dickson, sentez-vous l'odeur ?

— Du tabac noir, murmura le détective, en effet...

— Ce n'est pas tout, dit Hewitt en tremblant violemment.

Harry Dickson fit signe à ses compagnons de s'arrêter et huma l'air ambiant.

— Une odeur de fauve, dit-il enfin.

— C'est cela... oh ! c'est terrible ! Si Dieu voulait m'épargner cette épreuve...

— Laquelle ? Voyons, l'heure n'est pas aux réticences, Mr. Hewitt, dit Harry Dickson avec impatience.

— Je ne sais rien, vous dis-je, riposta Hewitt avec désespoir, je me doute de quelque chose, mais c'est tellement affreux que je n'ose pas y croire.

— Alors, continuons, dit Dickson sèchement en tirant son revolver.

Hewitt se mit à trembler.

— Oh ! je vous en supplie, ne tirez pas !

Harry Dickson s'approcha tout près de lui.

— Je *crois* comprendre, docteur, mais je dois à mes amis de les protéger contre n'importe quel péril! Marchons!

Une puissante grille, lourdement cadenassée, leur barrait le chemin. Le détective se munit d'une minuscule lime à froid, un chef-d'œuvre du genre, et entama le métal.

Cela fit à peine un bruit de grignotement de souris, puis la grille s'ouvrit sur des gonds baignés d'huile.

La dernière cour traversée, les policiers se trouvèrent devant un haut et étroit perron de pierres bleues qui menait vers une porte ouverte à deux battants. Ils étaient dans la maison de l'ex-docteur Crugh-Malory.

Cette fois, Mr. Hewitt ne s'opposa pas à ce que des lampes fussent allumées. La demeure fut rapidement parcourue. Elle était vide et silencieuse, une épaisse poussière traînait sur toute chose; seul le salon où Gustave Fenaux avait reçu Harry Dickson et son élève témoignait d'un peu d'entretien.

Quand ils furent de retour dans le vestibule, Tom Wills laissa éclater sa surprise:

— Pourtant, Fenaux habitait la maison, et c'est comme si elle n'avait pas été habitée depuis des années! A l'étage, les matelas et les bois de lit sont pourris, et personne n'y aurait pu dormir. Regardez ces foyers: ce ne sont plus que des amas de rouille, je vous dis que depuis dix ans, on n'y a pas fait de feu.

— Fenaux n'habitait pas ici!

C'était Dickson qui venait de parler. Ils se tournèrent tous vers lui, et Goodfield ne cacha ni sa stupeur ni son incrédulité.

— Et où donc, Mr. Dickson? questionna-t-il un peu aigrement.

— On y reviendra tout à l'heure, riposta Dickson; pour le moment, Mr. Hewitt va nous montrer le chemin du laboratoire.

— Mais nous avons vu toute la maison! s'écria Goodfield.

— Pas du tout, dit Harry Dickson. N'est-ce pas, Mr. Hewitt ?

— C'est vrai, acquiesça sourdement le directeur des Gas-works.

Il était d'une pâleur telle que Dickson crut qu'il allait s'évanouir.

— Souvenez-vous de votre promesse, lui souffla le détective.

Mr. Hewitt se raidit et s'avança délibérément vers un angle du corridor.

A une patère isolée pendait une vieille harde que Mr. Hewitt arracha et jeta au loin ; puis il empoigna à pleine main la patère et tira sur elle. Une porte merveilleusement dissimulée s'ouvrit sur un trou d'ombre.

— C'est un escalier en spirale, murmura Hewitt, il y a onze marches exactement, ne faites pas de lumière.

L'escalier fut descendu sans encombre, et après avoir parcouru quelques mètres en palier, les policiers se heurtèrent à une porte blindée.

Tom, qui avait pris les devants, recula soudain.

— Attention, cette porte n'est pas fermée... Regardez, il y a de la lumière derrière elle.

Mais Goodfield perdait patience. Sans dire un mot, il s'avança et, d'un geste prompt, il ouvrit la porte toute grande.

Une vaste pièce blanche apparut devant eux, éclairée par une puissante ampoule abaissée au-dessus d'une table au plateau de marbre blanc.

Une lourde fumée de tabac flottait autour de la lampe.

— Le tabac noir ! murmurèrent les hommes, plus terrifiés que si une monstruosité se fût dressée devant eux.

Mais leur horreur persista : la table était inondée de sang frais et une grande glace qui lui faisait face en était également éclaboussée.

— Oh ! le malheureux, gémit Hewitt, il a essayé...

Sa phrase fut coupée net.

L'ampoule éclata comme un coup de pistolet et, dans l'obscurité aussitôt tombée, détectives et policiers furent

54

bousculés, piétinés par une force colossale. Des cris de colère et de terreur retentirent, mais un autre bruit les domina, celui d'une voix affreuse, inhumaine, qui hurlait :

— Hewitt ! Lâche ! Meurs !

Un cri d'agonie y répondit.

Déjà, les lampes des policiers s'allumaient.

Ils ne virent rien d'insolite. Mais sur le seuil de la pièce, Mr. Hewitt était étendu, la tête ouverte, râlant déjà.

— Mr. Dickson... j'ai payé... hoquetait-il.

— Pour l'amour de Dieu, docteur Hewitt, parlez, supplia Dickson en prenant le moribond dans ses bras. Qui est-ce ?

— C'est... c'est...

Hewitt poussa un profond soupir... Il était mort.

Harry Dickson le reposa doucement sur le sol et se releva, très pâle.

Le staccato d'une moto lancée à toute vitesse éveilla la ruelle proche.

— Quelqu'un vient de filer d'ici ! s'exclama Goodfield.

— Nous l'aurons encore ce soir, dit Dickson, allez quérir une automobile robuste, nous partons pour Epping.

7. La *Valse bleue*

Il était minuit passé quand la sombre barrière de la forêt d'Epping se profila au loin, contre un horizon teinté de lune.

Dans le poste de police veillait une lampe solitaire, et les policiers eurent quelque peine à tirer de son sommeil un bon gros brigadier, unique représentant de la force publique pendant ces heures de repos.

— Bonne nuit, Dorking, dit Goodfield qui le reconnut, nous regrettons de troubler vos rêves, mais il nous faut quelques renseignements. Où pourrions-nous trouver à cette heure le citoyen Evans ?

Le gros Dorking se donna une tape sur le front.

— Je me suis toujours dit que ce bonhomme attirerait un jour la police de Londres dans notre patelin.

— Pour quelle raison? demanda Harry Dickson.

— Hm, voilà, dit Dorking avec embarras, une raison, il n'y en a pas. Mais dites-moi, un homme qui a quelque bon sens ira-t-il se nicher dans un trou à rats comme Watermill Farm?

— Qu'est-ce donc que ce Watermill Farm?

— Son nom le dit: la ferme du moulin à eau. Dans le temps, il y avait en effet un moulin à eau attenant à cette vieille ferme. Mais le barrage a cédé un jour et on ne l'a plus reconstruit. Depuis, le moulin est tombé en ruine et la ferme a été abandonnée. Il y a quatre ou cinq ans, Mr. Evans est venu de Londres et l'a achetée pour une bouchée de pain.

— Qui était donc le propriétaire avant lui?

— Un homme résidant à l'étranger, un nommé Malory, si ma mémoire est bonne.

— Encore ce Malory! s'exclama Goodfield, vous verrez, il est impliqué dans cette affaire et il a de la veine de ne plus être parmi les vivants.

— Sinon, il en sortirait par le trou de l'échafaud, acheva moqueusement Harry Dickson. Je pense que vous exagérez un peu, Goodfield. Malory n'est qu'une cause indirecte de tous ces malheurs, bien que ce fût un grand coupable.

— Je pense que Dorking ferait bien de nous accompagner, proposa Goodfield.

Le brigadier fit la grimace.

— C'est un bien vilain endroit, messieurs, pour y aller en pleine nuit. Si nous attendions le jour? Je vous ferais du café et l'on pourrait fumer une pipe près du feu qui brûle encore.

— Je crains que nous ne devions décliner votre bonne hospitalité, Dorking, répondit le détective. Mais dites-moi, Evans possède-t-il une moto?

— Certainement, une Harley-Davidson, avec laquelle il fait la navette entre sa maudite ferme et Londres.

— Rien d'autre à dire à son sujet ?

— Non... il habite une partie sauvage de la lande nord à l'orée de la forêt. Personne n'a intérêt à circuler dans ces parages. Il laisse le monde en paix et le monde en fait autant pour lui.

— A-t-il des domestiques ?

— Oui et non... Sur les registres de la population n'en figure aucun, mais quelques-uns prétendent que les gros travaux de ménage sont faits par une sorte de nègre. Je ne l'ai jamais vu, ni le garde forestier de service dans cette partie des bois. Aussi, je n'en crois rien.

Tout en parlant, le brigadier Dorking avait revêtu un confortable costume de cuir, et s'était armé de sa matraque et de son revolver d'ordonnance.

— Si Evans est chopé pour faire de la fausse monnaie par exemple, je suppose que j'aurai droit à une partie de la prime ? demanda-t-il confidentiellement à Goodfield.

— Tu parles ! répondit le superintendant avec un gros rire.

Au bout d'une vingtaine de minutes, l'automobile de police quitta les chemins facilement carrossables pour s'engager sur une sorte de piste herbeuse, peu praticable. Les voyageurs furent secoués d'importance, et le chauffeur grognait « qu'il y avait de quoi casser ici le meilleur châssis ».

Au bout d'un quart d'heure, leurs tortures prirent fin, car Dorking conseilla de quitter la voiture et de faire route à pied. Il montra du doigt une faible lumière qui apparaissait derrière les arbres.

— On ne dort pas dans la Watermill Farm, dit-il.

Les hommes n'avançaient que péniblement, manquant à tout bout de champ de se fouler les chevilles dans les profondes fondrières remplies d'une eau boueuse. Pendant quelques minutes, ils longèrent une butte gazonnée qui leur cachait la lumière lointaine, et quand ils l'eurent dépassée, ils se trouvèrent presque face à face avec une longue bâtisse basse et sinistre dont une partie était encore couverte d'un chaume épais et moussu.

— Tiens, remarqua Tom Wills, la lumière a disparu.

Dorking s'empressa de leur en expliquer la raison.

— Jusqu'ici, nous n'avons fait que descendre une pente. Quand nous avons vu la clarté, nous étions sur une hauteur. Pour moi, elle doit briller à une fenêtre donnant sur une cour intérieure de la maison.

Harry Dickson entra immédiatement dans ces vues.

— L'explication est très plausible, dit-il. Nous allons tâcher de pénétrer dans cette curieuse forteresse.

Tom Wills avait pris les devants, mais tout à coup, on le vit revenir en courant.

— La *Valse bleue* ! murmurait-il. Ecoutez donc !

Un air traînant se jouait quelque part à l'intérieur de la maison sur un mode lent et pleurard, d'une tristesse infinie.

Harry Dickson et ses compagnons ne purent réprimer un frisson : on approchait enfin du criminel mystère.

Soudain, les sons devinrent plus distincts, l'orgue de Barbarie qui jouait la valse le faisait avec une sombre frénésie.

Et alors, un singulier spectacle sidéra les policiers : du fond de la forêt, haut dans les arbres, des points de feu voltigèrent, se réunirent et s'élancèrent avec vélocité vers la ferme où ils disparurent.

— Les étoiles de la mort ! dit Goodfield dont les dents claquaient.

Harry Dickson serra les poings.

— Maintenant ou jamais ! gronda-t-il.

Les ordres furent nets et précis : Goodfield et ses hommes feraient le guet à l'extérieur de la maison mystérieuse, Harry Dickson et Tom Wills pénétreraient à l'intérieur.

Le détective, qui avait admiré la puissante musculature et la mine de dogue du brigadier Dorking, décida de se l'adjoindre.

— Histoire de vous donner droit à la prime, expli-

58

qua-t-il au brave homme, qui se déclara immédiate-ment enchanté de cette collaboration.

Ils eurent d'abord à franchir une haie basse, puis à traverser une sorte de pelouse hâve, parsemée de détri-tus et de gravats.

Dorking, qui se souvenait vaguement de la topogra-phie des lieux, les mena vers une muraille hérissée de tessons, mais de minime hauteur.

Dickson et Tom firent un coussin de leurs ulsters, ce qui leur permit de ne pas redouter les féroces frag-ments de verre pendant leur escalade.

Quand ils eurent franchi cet obstacle, ils se trouvè-rent dans une spacieuse cour intérieure qui s'apparentait fort à un marécage, car les trois hommes s'enfoncèrent dans la boue jusqu'à la cheville.

— C'est une véritable gadoue, grommela Dorking... Dieu quelle odeur !

— Quelle peste ! renchérit Tom Wills.

L'odeur était particulièrement écœurante et tous trois durent se pincer les narines avant d'avancer.

— La lumière ! fit tout à coup Dorking.

Elle brillait tout au fond de la cour, derrière une petite fenêtre grillagée.

Harry Dickson s'approcha à pas de loup, suivi par Tom et Dorking ; mais de nouveau, ils firent halte :

— Le tabac noir !

Une puissante odeur de tabagie leur parvenait.

— Cette fois-ci, nous allons voir ! dit brusquement le détective en s'élançant vers la fenêtre éclairée.

Ils s'approchèrent d'elle tous les trois en même temps... pour pousser en même temps une exclamation de surprise !

Un spectacle bien étrange s'offrait à leurs regards !

Au milieu d'une sorte d'écurie en planches, un homme en habit de soirée était assis, maniant une badine en rotin. Il avait les moustaches retroussées à la pommade hongroise et se donnait un certain air de dompteur.

Dompteur était bien le mot, car les compagnons de l'homme étaient pour le moins étranges ! C'étaient de magnifiques singes ; parmi eux il y avait deux chimpan-zés de belle taille. Ils bondissaient autour de l'homme, lui faisaient mille gentillesses, et lui les caressait, les appelait par de petits noms d'amitié.

Une épaisse fumée de tabac flottait dans le réduit, car *tous ces quadrumanes fumaient* !

Harry Dickson s'écarta un peu de la fenêtre et se tourna vers ses compagnons :

— Je vous présente Gustave Fenaux, entouré par *les étoiles de la mort* !

— Comment, ces singes... murmura Tom.

— Ou plutôt leurs cigarettes brûlant dans la nuit... voilà, mon petit, la simple explication de ces fameuses étoiles.

— Et Fenaux est leur criminel conducteur ! gronda Tom. Allons, finissons-en avec lui.

— Vous vous trompez, Tom, dit sèchement le détective. Fenaux n'est pas leur maître. Il est arrivé à se faire aimer des « étoiles » ou plutôt des singes, mais ce n'est pas lui qui a dirigé leurs coupables évolutions autour des réservoirs auxquels ils mettaient le feu à l'aide de leurs cigarettes-brandons.

— Mais qui donc ? balbutia Tom.

Harry Dickson se redressa et, rapidement, se saisit de son revolver.

— Je crois que je vais vous le montrer ! dit-il d'une voix dure où perçait pourtant un peu d'angoisse.

Tous trois s'étaient à présent retirés de la fenêtre et réfugiés dans un coin obscur tout proche, d'où ils entendaient les aigres piaillements des singes et les mots d'amitié de Fenaux.

— Tiens, nous aurons de l'orage, dit Dorking sou-dain, il tonne !

— Il tonne ? dit Dickson d'une voix sombre, non, *il ne tonne pas*.

— Comment ? Mais j'ai bien entendu, j'espère ? riposta aigrement le brigadier.

— Vous avez bien entendu, mais ce n'est pas le ton-nerre, c'est...

Il se tut, l'oreille tendue, et Tom Wills le vit blêmir dans la nuit.

— Quoi donc, maître? demanda-t-il d'une voix à peine perceptible.

— C'est le maître des étoiles de la mort!

Dans l'écurie proche, on semblait avoir tout aussi bien entendu, car les singes faisaient un vacarme infernal, jacassant, piaillant, criant à tue-tête.

Dickson risqua un œil à la fenêtre et vit que Fenaux s'était redressé, livide lui aussi, tenant d'une main frissonnante la canne en rotin.

Le grondement se fit plus proche, formidable, comme s'il ébranlait les nuées.

A ce moment, le regard de Gustave Fenaux tomba sur la fenêtre, et il vit Dickson.

Il sursauta, mais pourtant, aucune peur ne se lisait dans ses yeux.

Rapidement, il ouvrit une porte basse.

— Dickson, dit-il, vous m'avez enfin trouvé?

— Oui, Fenaux, et je vais en finir avec les fameuses étoiles de la mort.

Un rictus amer se dessina sur le visage du Français.

— Vous savez... demanda-t-il très bas.

— Oui, dit le détective en armant son browning.

Fenaux vit le geste, et un immense désarroi sembla s'emparer de tout son être.

— Dickson! Je vous supplie de ne pas tirer! Pour l'amour de Jésus-Christ, soyez pitoyable! Je vous dirai tout! Je vous promets...

Ce fut comme si un ouragan balayait la cour. Les singes se tapirent dans un coin en hurlant; en même temps, des cris retentirent au-dehors, puis des hurlements et une suite de coups de feu.

Fenaux se couvrit le visage de ses deux mains en laissant choir sa canne.

— Trop tard! On l'a vu! On tire sur lui! Malheureux.

Un rugissement farouche, qui décelait la souffrance et la colère, se fit tout proche; à ce moment, Tom Wills et Dorking rejoignirent le détective en courant.

— Mr. Dickson! Il y a quelque chose d'effroyable qui vient de sauter au-dessus du mur!

Le détective repoussa Fenaux qui s'accrochait à lui et s'élança dans la cour.

Dickson avait vu une quantité de choses abominables au cours de sa carrière; pourtant, il bondit en arrière, un hoquet d'horreur lui montant à la gorge.

Au milieu de la cour boueuse, sous la lune qui sortait des nuages, un être difforme, monstrueux, aux yeux de feu vert, se tenait immobile, lacérant des vêtements de toile ensanglantés.

Soudain il vit Dickson et leva une main affreuse, tout en griffes, prête à saisir le détective.

Dickson semblait perdu, quand les revolvers de Tom et le lourd colt de Dorking se mirent à claquer. La créature poussa un gémissement humain et tomba.

— Malheureux! sanglota Fenaux en se jetant sur la masse qui s'écroulait.

Au bruit des salves, Goodfield et ses hommes étaient accourus. Ils se groupèrent tous autour de l'être qui ne bougeait plus.

Ils virent alors que c'était un singe géant, dont la figure figée dans la mort prenait un aspect humain.

— C'est un gorille, déclara Goodfield.

Fenaux se leva.

— Non, dit-il d'une voix déchirée. C'était mon frère!

— A présent, je puis parler, Dickson, dit le détective français.

»Je remonte de beaucoup d'années dans le passé.

»Après la mort de mes parents, je suis resté seul au monde avec un jeune frère, Pierre-Albert. C'était un enfant chétif, mais d'une intelligence remarquable.

»L'âge développa ses qualités intellectuelles, d'une façon étonnante. Il était remarquablement beau, mais d'une beauté efféminée, dont il était plutôt triste, car il aurait voulu avoir la force physique que la nature lui avait refusée.

62

» Cet enfant devint mon orgueil. J'entrai dans la police pour gagner l'argent de ses études. Puis, comme j'obtenais quelques succès en matière de recherche criminelle, je montai un bureau de détective privé, qui me rapportait gros.

» Pierre-Albert fut le premier à profiter de cette nouvelle fortune. Je ne lui refusais rien. Rien n'était assez beau, assez coûteux pour lui.

» Ce fut son malheur ! Il fut entraîné dans des tripots, joua puis vola.

» Il reconnut sa honte quand il était trop tard. Le mal était fait. Il quitta le pays et se réfugia, comme je le sus plus tard, en Angleterre, où il donna une tournure anglaise à son nom et devint Peter Albernon.

» Il suivit les cours de la faculté de médecine de Cambridge, tout en donnant des leçons de français pour en payer les frais. C'est ainsi qu'il connut son mauvais génie : le docteur Crugh, plus tard Fred Malory.

» Malory était un homme cruel et sans scrupule, mais que l'enfer avait doté d'un cerveau de génie. Un jour que mon frère se plaignait de son manque de force physique, Crugh lui fit une proposition satanique.

» Pierre-Albert se sentait-il le courage de tenter une expérience qui, si elle réussissait, lui donnerait une force physique surhumaine ?

» C'était l'idée fixe du pauvre garçon : il accepta.

» Et Crugh-Malory, dans son laboratoire de Bow Street, en fit un horrible sujet de vivisection. La portée scientifique de cette affreuse expérience m'échappe et les moyens employés bien plus encore, mais je sais qu'il lui greffa certaines glandes d'un gorille vivant, qu'il tenait enchaîné dans une des caves secrètes de sa maudite demeure. Je crois même qu'il se livra à des remplacements de muscles et d'organes. Le pauvre Pierre-Albert connut tous les supplices de l'enfer.

» Mais l'expérience réussit au-delà, bien au-delà de toutes les espérances.

» Pierre-Albert ou Peter Albernon, comme je l'appellerai désormais, se développa en athlète, sa force physique devint terrible… mais la nature se vengea.

» De jour en jour s'opéra une transformation horrible : l'homme s'effaça petit à petit, pour faire place au gorille.

» Peter Albernon était devenu une créature épouvantable, mais ayant gardé dans une enveloppe monstrueuse son puissant cerveau d'homme.

» C'est alors que Malory prit peur ; il entrevit une prochaine vengeance de l'homme qu'il avait transformé et il s'enfuit.

» Je ne vous ferai pas le récit de sa fuite à travers le monde, ni de la chasse que lui donna le terrible Peter Albernon, ni comment j'ai découvert leur trace.

» L'homme-singe ne voulait que se venger de son bourreau. Il le savait intéressé dans des affaires de pétrole et de naphte ; il les voua au feu. Vous savez comment : en créant les étoiles de la mort !

» Comme homme-singe, il possédait un empire étonnant sur tous les quadrumanes, et notamment sur certaines sortes de chimpanzés très intelligents.

» Il en fit ses complices, il les dressa, et grâce à la passion du tabac qu'il leur inculqua, il en fit des incendiaires parfaits, agiles, nyctalopes insaisissables et presque invisibles.

» Vous me direz que de pareils déplacements étaient difficiles ; n'en croyez rien : c'était une ménagerie ambulante qui se promenait à travers l'Europe, dirigée par un homme très laid, il est vrai, mais qu'un savant maquillage protégeait.

— Manquait-il d'argent ? demanda Harry Dickson.

Fenaux secoua la tête :

— Non, Dickson, au contraire.

— En faisant chanter Hewitt ? opina le détective.

— Possible, Hewitt était un lâche.

— Il est mort, dit Harry Dickson tout bas. Peter Albernon l'a tué comme il a tué Malory.

— Oui, dit Fenaux, il leur a réglé leur compte, et je ne l'en aurais pas empêché, mais je voyais que mon

64

malheureux frère ne s'en tenait plus à son œuvre de vengeance. Il en était venu à haïr l'humanité entière. Je crois que lentement sa vaste intelligence sombrait dans la folie. Il ne se contenta pas de régler la dette des bourreaux, il s'en prit à des innocents, il se crut l'envoyé d'un Dieu vengeur, et ses « étoiles de la mort », une arme du courroux divin.

Fenaux se tut, et des larmes coulèrent sur ses joues creuses : d'un geste fraternel, Harry Dickson entoura ses épaules secouées par les sanglots.

— Vous êtes un grand cœur, Fenaux, un héros. Je viens de comprendre la vraie signification de la *Valse bleue*.

Et comme Fenaux ne soufflait mot, Harry Dickson prit la parole à son tour.

— Certes, en achetant Millwater Farm et en louant à vous-même la maison de Bow Street, que vous aviez achetée sous le nom d'Evans en même temps, vous avez procuré une sorte d'asile à votre frère, asile qui effrayait Malory.

» Car ce dernier, tout en craignant le monstre qu'il avait créé de ses mains, cherchait à l'exterminer à son tour. Mais Bow Street et Watermill Farm, témoins de ses anciens crimes, l'éloignaient irrésistiblement. Vous êtes un grand psychologue, Gustave Fenaux...

» Vous vouliez protéger votre frère, mais vous vouliez également empêcher ses crimes. Et tout en n'ayant pas l'ascendant de votre frère sur les singes dressés, vous en étiez devenu l'ami par le truchement de ce simple orgue de Barbarie dont ils aimaient la monotone chanson.

» Que de fois la *Valse bleue* a attiré les singes incendiaires hors des zones menacées ! Sans elle, la bombe de Baker Street m'aurait infailliblement atteint, bien que, malgré vous, elle ait fait pourtant des victimes.

— Mr. Dickson, dit Tom, je voudrais bien savoir pourquoi le laboratoire de Bow Street était si vilainement ensanglanté ce soir ?

Fenaux leva la tête.

— Pauvre Pierre-Albert ! C'était son propre sang que

65

vous avez vu ! Il se livrait depuis quelque temps à des expériences terribles sur lui-même, qui, dans son idée, auraient pu lui rendre sa forme première !

— Mais... ces singes, que faut-il en faire ? demanda Goodfield.

Gustave Fenaux sourit tristement.

— Il les aimait, je suis devenu leur ami. On ne peut pas les rendre responsables, j'imagine. J'ai dépensé tout mon avoir dans ma douloureuse recherche, ils m'aideront désormais, de village en village, à gagner le pain de chaque jour.

» Les « étoiles de la mort », après avoir fait trembler tant d'hommes, amuseront les petits enfants...

LE STUDIO ROUGE

1. Comment le studio rouge fut découvert

L'angoissant mystère du studio rouge date de l'époque, toute récente, où la municipalité de Londres décida de faire démolir un complexe d'immeubles vétustes dans le torve quartier d'Houndsditch. Les démolisseurs menaient l'ouvrage bon train, car les entrepreneurs devaient terminer les travaux à date fixe, sous peine de lourdes amendes. Les vieilles demeures avaient aux trois quarts disparu, quand les ouvriers se heurtèrent à un énorme bloc de maçonnerie qui résista à l'acier des pics et des pioches.

Déjà, on parlait de se servir de dynamite, quand les archéologues, mis au courant, s'imaginèrent pouvoir découvrir les fondations d'une vieille abbaye dont les archives parlaient, peu ou prou, mais parlaient tout de même. Le département des travaux publics subit l'assaut de ces gentlemen redoutables, opiniâtres entre tous, et une trêve de plusieurs semaines fut imposée aux démolisseurs, pour permettre aux amateurs d'antiquités de faire quelques recherches sur les lieux.

Après des explorations minutieuses, des mensurations précises, des palabres aussi savantes que nombreuses, les intéressés se trouvèrent acculés à une solution peu ordinaire.

Le cube de maçonnerie s'enfonçait profondément sous terre; il avait été construit à l'aide de matériaux aptes à défier les siècles et remontait, selon les uns, au XIIIe, selon les autres, au XIIe siècle. On ne décelait en rien l'usage auquel il avait pu être destiné et, chose curieuse, il ne présentait aucune ouverture. Les entrepreneurs, consultés, supposèrent qu'on se trouvait devant un bloc de moellons sans aucun creux.

Mais les archéologues s'obstinèrent. Une fois que ces gens tiennent une proie, ils ne la lâchent guère : ce n'est un secret pour personne.

Il faut ajouter que des hommes en vue s'étaient tout à coup entichés de cette pierraille multicentenaire et, de ce fait, elle fit les frais de conférences et de mémoires que lui consacrèrent ces amis du passé.

Sir Eli Handowe, dont on connaît les travaux réputés sur les XIIe et XIIIe siècles, tant du point de vue historique qu'architectural, s'était mis à leur tête. Il était parvenu à constituer une ligue de protecteurs qui avait pour but de sauver définitivement du pic ou de la mine ces briques séculaires. Parmi ces gloires, ou du moins ces renommées, on relève les noms de Gregory Surbass, docteur en histoire, professeur à Kings College ; Eliphas Silversmith, l'artiste peintre de grande réputation, attaché au département des arts du British Museum ; James Doomstetter, archéologue amateur et riche mécène ; Lord Athelstane Cobwell, professeur et auteur historique ; Sebald Linkins ainsi qu'une dizaine de personnalités de second ordre mais de valeur reconnue.

Ceux qui ont suivi, dès le début, cette affaire énigmatique (il est vrai qu'ils ne sont pas légion) se souviennent des discussions passionnées que cette lourde trouvaille suscita dans ces milieux éclectiques.

Le docteur Surbass tenait à « son abbaye » et essayait de faire admettre par ses confrères, sans trop apporter de preuves à l'appui de sa thèse, qu'en des temps lointains s'élevait, à cet endroit, une petite abbaye dite de Saint-Berran.

A quoi, son collègue Sebald Linkins répliqua ironiquement :

— Très bien, cher confrère, fabriquez des abbayes. Ce n'est pas si difficile, après tout. Mais pour ce qui est des saints... Qui donc est ce bienheureux Berran ?

Surbass ne sut que répondre et fut déclaré battu.

Après d'interminables séances, on se serait rallié au désir général de faire enclore ce vénérable bloc et de prier la commission des monuments publics de le déclarer tabou, si le détective Harry Dickson n'avait assisté à l'une des dernières assemblées.

Harry Dickson était assez intimement lié avec Lord Cobwell et avait souvent assisté, avec autant d'intérêt que de plaisir, aux causeries instructives que ce gentleman aimait organiser pour des groupes d'amis et d'amateurs.

— J'aimerais bien jeter un coup d'œil sur l'objet de tant de controverses, avait-il déclaré à son ami.

Ce dernier avait accepté avec joie de le piloter sur le chantier de Houndsditch abandonné par les ouvriers.

Le détective fit le tour du puissant polyèdre, écoutant attentivement les explications que lui fournissait son cicérone, tâtant d'une main distraite les moellons graniteux qui, après tant de siècles, revoyaient la lumière du jour, et tomba soudain en arrêt, comme un pointer qui sent une bécassine embusquée dans les roseaux.

— A quelle date remonte cette construction souterraine, Sir Athel? demanda-t-il.

— Je crois que le docteur Surbass a raison quand il l'estime du XIIIe siècle au moins, déclara Lord Cobwell. En effet, mon cher Dickson, les bâtisseurs de ces âges lointains se servaient souvent de fine fleur de farine pour leurs mélanges constructifs et, en tout cas, de farine de seigle.

Harry Dickson poussa la pointe de son canif dans un des interstices, gratta et regratta si bien qu'il finit par enlever quelques parcelles d'un ciment pulvérulent qu'il examina avec grande attention.

Lord Cobwell le vit hocher la tête et l'entendit murmurer quelques mots indistincts.

— Ne seriez-vous pas tout à fait d'accord avec ce bon docteur Surbass? demanda-t-il en souriant.

— Pas pour ce qui concerne cet angle de la maçonnerie, dit le détective. Voici un mortier excellent, j'ose le dire, mais qui ne doit rien à nos blondes céréales, Sir Athel, ni aux constructeurs du temps des croisades : il est tout ce qu'il y a de moderne.

— Par exemple ! murmura Lord Cobwell.

Harry Dickson ramassa une pierre calcaire qui traînait à ses pieds et qui, faisant office de craie, lui servit à tracer sur le flanc raboteux des pierres de taille un rectangle haut de cinq pieds et large de trois.

— Regardez, Lord Cobwell, les pierres que j'ai enfermées dans ce tracé rectangulaire : elles sont vieilles, soit, mais elles sont d'une autre nature que celles qui ont servi au reste de cette construction. Alors que ces dernières sont d'un beau porphyre pur, comme on n'en emploie plus guère de nos jours, celles que mon tracé isole sont du grès à enclaves, d'emploi courant dans certaines bâtisses modernes.

— Qu'en concluez-vous ? demanda Sir Athelstane, vivement intéressé par la tournure que prenait l'entretien.

— Que ce rectangle est une porte murée et qu'il se pourrait fort bien qu'il y ait quelque chose derrière ce mur improvisé ! répondit nettement le détective.

Il n'en fallut pas davantage à Lord Cobwell pour convoquer tous les membres de la ligue qui, d'un commun accord, décidèrent de faire appel aux bons offices des ouvriers démolisseurs.

Pics et ciseaux à froid suivirent fidèlement les lignes dessinées à la craie par Harry Dickson et, bientôt, les premières pierres s'ébranlèrent.

Tout à coup, un des outils, manié avec un peu plus de force, s'enfonça et disparut dans le vide. On entendit le bruit étouffé de sa chute.

— Il y a un trou derrière le mur ! s'écria l'ouvrier.

Et, aussitôt, ses compagnons se mirent à l'ouvrage avec une ardeur accrue.

Les pierres tombèrent une à une et une ouverture sombre se dessina.

— Laissez passer quelques minutes avant qu'on s'y hasarde, conseilla le détective. L'espace, là-derrière, est sans doute fort restreint et l'air qui y stagne peut parfaitement être vicié et dangereux à respirer. Qu'entretemps on apporte des lanternes.

— Si vous voulez revendiquer le risque et l'honneur, Mr. Dickson? dit Sir Cobwell en tendant à son ami un fanal allumé.

L'ouverture était suffisamment grande pour laisser passer un homme et, élevant la lanterne au-dessus de sa tête, Harry Dickson plongea dans les ténèbres.

Il traversa un couloir très étroit où il dut marcher tête baissée et qui, brusquement, fit un coude.

Celui-ci franchi, la clarté de la lanterne se heurta à une surface rougeâtre, incertaine.

— Une draperie! murmura le détective avec étonnement.

Il toucha, du doigt, une étoffe épaisse comme du feutre et si lourde qu'il lui fallut faire un effort pour l'écarter.

— Approchez, cria-t-il à ceux qui l'attendaient dehors. L'air n'est pas balsamique ici, mais il ne présente aucun danger... Venez, je crois que nous allons trouver du nouveau.

Du nouveau! C'était peu dire devant le spectacle qui s'offrit aux archéologues quand ils eurent suivi Dickson, spectacle qu'on ne se serait pas attendu à trouver au sein d'un séculaire bloc de maçonnerie.

Derrière la draperie de feutre rouge s'ouvrait une chambre carrée, d'une hauteur de douze pieds, aux murs nus et lisses. Le sol était complètement couvert d'un tapis épais de la même consistance que la draperie.

Il y avait des meubles: une large table rectangulaire, lourde et massive, entourée de sept sièges grossiers. Au milieu de la table se trouvait une grande lampe pansue, dont le système rappelait celui des anciennes lampes Carcel. C'était tout. Mais ce qui étonnait surtout, c'était que tout y était d'un rouge uniforme, un rouge excessivement vif. Un enduit écarlate, luisant comme une laque, donnait cette teinte aux murs, au plafond et aux meubles ; cette même couleur se répétait sur la lampe, mais non par le truchement d'un enduit.

Harry Dickson fit apporter des lanternes supplémentaires et procéda aussitôt à un examen approfondi des lieux.

Les autres le laissaient faire, muets, frappés de stupeur devant tant d'inattendu.

Enfin, le détective déposa son fanal à côté de la lampe éteinte et se mit à donner les explications que tout le monde attendait de lui.

— Il n'y a pas d'autre issue à cette pièce que la porte et le passage par où nous nous sommes introduits, déclara-t-il.

»Les meubles, qui semblent grossiers, ne le sont pas ; ils sont plutôt massifs, mais construits avec un soin absolu. Leur bois est d'une essence rare que je ne puis encore préciser. Le tissu dont sont faits la draperie et le tapis est une sorte de feutre, différent toutefois de celui qui s'emploie couramment chez nous. La peinture est une laque pétrifiée, très précieuse, d'une épaisseur et d'une résistance inhabituelles. Quant à la lampe, elle est taillée dans un bloc de jade rouge, substance rare, coûteuse, et d'une espèce que l'on ne retrouve que dans les bibelots, d'immense valeur, de la dynastie chinoise des Ming.

— Pourtant, rien ne décèle ici la mode chinoise, objecta le docteur Surbass.

— Je vous le concède volontiers, docteur, répondit le détective, et je vous en dirai même davantage : tout ceci est furieusement moderne et ne date que de quelques années, tout au plus.

— A qui et à quoi cette étrange chambre a-t-elle pu servir ? murmura Lord Cobwell.

— L'homme ici présent qui connaît le mieux le vieux Londres est certainement le professeur Sebald Linkins, dit Harry Dickson. Peut-être pourra-t-il nous dire quelle construction s'élevait à cet endroit précis.

— Certainement, je le sais, s'écria Mr. Linkins d'une voix grinçante comme une vieille lime. Je prétends même le savoir fort bien mais cela ne nous servira pas à grand-chose, soyez-en certains. C'était une sale bâtisse, une maison-caserne où habitaient, tant bien que mal, une centaine de familles dans des logements affreux qu'on leur louait à la petite semaine. Elle a été désaffectée depuis plus de quatre ans, par mesure d'hygiène. Ce ne sont évidemment pas des locataires de ce genre qui ont dû se servir de ce studio rouge!

— Evidemment, répéta Harry Dickson tout songeur.

» Messieurs Doomstetter et Silversmith, qui sont des collectionneurs et des sinologues, pourront peut-être nous apprendre quelque chose au sujet de cette chambre même? suggéra le détective.

Les deux gentlemen interpellés secouèrent la tête.

— Comme vient de le dire le docteur Surbass, rien ne révèle ici la mode chinoise, affirmèrent-ils. Certes, le jade rouge et, peut-être, l'enduit de laque sont d'origine chinoise, mais c'est absolument tout. L'orfèvrerie qui rehausse la lampe est un travail moderne et européen.

— En tout cas, déclara Lord Cobwell, la trouvaille est d'importance et il importe qu'elle soit soigneusement gardée.

— Ceci est d'ordre pratique et raisonnable, acquiesça le docteur Surbass. Ces objets sont d'une valeur inestimable. Je propose qu'une équipe d'ouvriers soit affectée à sa surveillance, cette nuit, et forme autour du bloc de maçonnerie un cordon protecteur. L'un d'entre nous restera sur place, je veux bien être celui-là.

— Et pourquoi ne serait-ce pas moi? s'écria aigrement le professeur Sebald Linkins. Mon honoré confrère désire sans doute avoir toute une nuit à lui pour se livrer, ici, à une enquête profitable.

Le docteur Surbass haussa une épaule méprisante.

— Soit, que ce soit mon confrère Linkins qui sacrifie son sommeil, accepta-t-il. Demain, nous reprendrons la discussion.

— Et l'on discutera plus longtemps qu'aujourd'hui, ricana le grincheux Linkins.

On convint d'une heure matinale pour se retrouver

sur le chantier d'Houndsditch. L'équipe de garde prit ses positions de nuit et le professeur Sebald Linkins, après avoir réclamé l'apposition immédiate d'une légère clôture de planches devant l'ouverture, se retira dans le studio mystérieux avec une lanterne suffisamment garnie d'huile pour brûler toute une nuit.

Les membres du club arrivèrent presque en même temps que Harry Dickson, le lendemain matin, tant chacun avait hâte de se replonger dans le mystère de la veille.

Les hommes de l'équipe les reçurent en bâillant.

— Le professeur Linkins n'est donc pas encore venu prendre l'air? leur demanda Sir Cobwell.

Le contremaître frotta ses yeux lourds de sommeil.

— Je suppose qu'il dort encore. Vous voyez bien qu'il n'a pas encore poussé la porte, répondit-il avec un gros rire. Mais ce doit être un drôle de corps, votre professeur Pickles, ou comment l'appelez-vous?

— Pourquoi donc?

— Au milieu de la nuit, il s'est mis à chanter... mais à chanter si drôlement que cela vous donnait le mal de mer.

— Oui, ajouta un des hommes, c'était bizarre, comme dit le patron... On ne peut pas dire, pourtant, que c'était vilain, mais cela vous rendait tout chose... je ne sais pas expliquer. Heureusement, ça venait de loin et ça n'a pas duré longtemps. Il doit avoir des trous dans la voix car il a poussé une ou deux notes qui vous faisaient grincer des dents, comme lorsqu'on rabote une pierre de marbre sans la mouiller suffisamment.

— Pourtant, vous devez être habitués à des bruits semblables, sur les chantiers de construction, dit Harry Dickson.

— Tiens, fit le contremaître, étonné, c'est juste ce que vous dites là, gov'nor... mais je le maintiens: cela

74

faisait mal à entendre et tous nos hommes ont hurlé comme des chats.

Un des assistants frappait déjà les planches à coups de poing, en appelant le professeur par son nom.

Personne ne répondit.

Légèrement inquiet, Harry Dickson arracha la clôture et se fit donner une lampe. Il s'enfonça immédiatement dans l'obscurité du passage en appelant Sebald Linkins : il n'obtint pas de réponse.

Comme il approchait de la tenture rouge, il heurta du pied un objet métallique : c'était la lanterne du professeur dont les vitres étaient en morceaux. D'un geste nerveux, le détective écarta la lourde draperie et la lumière de son fanal éclaira le studio rouge.

Le professeur Sebald Linkins était là... si, toutefois, on pouvait reconnaître encore le savant dans la créature au masque fou qui se tenait immobile sur l'une des chaises.

Ses bras s'étiraient en longueur sur la table ; le buste s'y reposait à moitié ; les yeux révulsés jaillissaient littéralement des orbites tandis que la bouche s'ouvrait sur une grimace démesurée, atroce à voir.

Harry Dickson, le premier réflexe d'horreur surmonté, intima à ses compagnons l'ordre de se tenir hors de la chambre mystérieuse et examina le cadavre. Deux minces filets de sang coulaient des oreilles, si fins qu'on aurait dit deux lignes tracées à l'encre rouge sur la cire des joues ; du front et du nez, une abondante sueur avait dû fluer, laissant des traces sur l'enduit laqué de la table.

Le détective fit le tour de la pièce, cherchant en vain la trace révélatrice d'une présence coupable en ces lieux : il n'y en avait pas.

Il appela Sir Cobwell et eut avec lui un bref entretien.

— Du sang-froid, du calme, ordonna-t-il, c'est ce que vous allez exiger de vos amis, Sir Athel. Sommes-nous devant un crime ?... Mon instinct le dit, mais rien ne le prouve encore. Le cadavre de l'infortuné Linkins devra être autopsié sur l'heure ; la police viendra immédiatement et prendra la garde de ces lieux.

L'examen du cadavre fut confié au médecin légiste, le docteur Miller, une vieille connaissance à qui Dickson accordait le plus large crédit.

Le résultat en fut aussi étrange que décevant.

— Toutes les réactions d'une peur formidable sont présentes, déclara le médecin légiste au détective. Pourtant, ce n'est pas cela qui a pu tuer Linkins mais bien une fantastique hémorragie cérébrale, tellement intense que je n'avais jamais pensé qu'il pût en exister de pareille.

— Et le malheureux est mort foudroyé...

— Non, il a passé par les affres d'une brève mais combien horrible agonie. Tous ses muscles sont tordus, comme s'il avait subi je ne sais quel infernal supplice. Non, je n'ai jamais rencontré de cas pareil, je vous le jure !

Trois volontaires veillèrent la nuit suivante dans le studio tragique et Harry Dickson se joignit à eux.

La consigne était de rester tout le temps en contact avec l'équipe policière du dehors en donnant, toutes les trois minutes, un signe vocal.

La nuit se passa sans anicroche.

Le lendemain, les meubles furent transportés dans un cabinet spécial du British Museum, sous la garde particulière d'Eliphas Silversmith. L'ouverture dans le bloc de maçonnerie fut murée.

Deux jours plus tard, une formidable explosion ébranla le quartier : le fameux bloc avait été partiellement anéanti et, de la chambre rouge, il ne restait plus trace.

Ce fut vraiment par miracle que les hommes de garde autour de l'étrange trouvaille s'en tirèrent avec d'insignifiantes blessures.

Cela permit à Harry Dickson de les soumettre à un interrogatoire serré.

— Non, nous n'avons rien vu... pas un chat... pardon, nous ne dirions pas la vérité, un chat, nous en

76

avons vu un, en effet; en tout cas, cela ressemblait à un chat... mais il a filé comme un éclair entre les pierres.

Telle fut la déclaration du brigadier de service, et les autres policiers de garde la corroborèrent.

Harry Dickson se trouvait seul, sans point d'appui, devant le plus complet des mystères.

2. Trois visiteurs

L'affaire de la tragique et mystérieuse chambre rouge s'ébruita avec une vélocité et une passion dont d'aucuns doivent encore se souvenir. Cette tapageuse publicité, comme c'est souvent le cas d'ailleurs, au lieu d'apporter une aide utile à l'enquête, ne fit que compliquer les choses.

Les hypothèses les plus saugrenues furent émises par les journaux les plus graves, jusqu'au moment où un obscur hebdomadaire reprit, pour son compte, une théorie assez rabâchée et largement assaisonnée de fantaisie : celle du culte rendu secrètement, dans de nombreux grands centres d'Europe, à la diablesse Mélanie Balder[1].

Qui était cette Mélanie Balder ? Il est difficile de donner des précisions à ce sujet. On la savait luciférienne, c'est-à-dire l'incarnation partielle du démon, vivant quelque part dans le vaste monde, comme une femme adulée et respectée, sinon crainte. On citait même des têtes couronnées... Pendant les huit jours qui suivirent l'explosion d'Houndsditch, la table de travail de Harry Dickson se couvrait, à chaque courrier, de lettres, d'esquisses, de grimoires, de révélations dues à des pra-

1. Ceci se rapproche d'un fait absolument authentique. En l'année 1895, fut révélée l'existence de deux lucifériennes ennemies, Sophie Walder et Diane Vaughan, dont l'influence désastreuse se faisait sentir à travers le monde. Le 22 janvier 1897, une commission religieuse siégea, à Rome, sous la présidence de l'évêque Mgr Lazzareschi, qui n'osa pas trancher la question, et où l'existence de ces deux diablesses ne fut pas précisément admise, mais où elle ne fut pas non plus niée. (N. de l'A.)

tiques de magie noire ou rouge, dont aucune vraiment ne méritait de retenir l'attention du détective. Le huitième jour, peu après le déjeuner, un visiteur sollicita un entretien urgent et fut introduit.

C'était un homme d'une cinquantaine d'années, gros et rougeaud, habillé à la façon d'un campagnard aisé. Il eut quelque peine à aborder la question qu'il désirait traiter avec le détective.

— Mon nom est Murdoch Blossom, dit-il, je suis éleveur et cultivateur à Maidstone, dans les environs de Bradford. J'ai lu dans les journaux tout ce qui se rapportait à la singulière affaire du studio rouge et de Mélanie Balder, une femme bien plus singulière encore.

» Je ne comprends pas grand-chose à ces diableries et sans doute je n'y attacherais aucune créance, n'était une histoire assez peu ordinaire qui me regarde de près. Il y a trois ans, je reçus la visite d'un gentleman de Londres qui me demanda de lui envoyer régulièrement des poules noires. Peu importe qu'elles fussent grasses ou maigres, de telle ou telle race, mais il fallait, avant tout, que leur plumage fût d'un noir parfait. Il n'y aurait pas de discussion sur le prix des volailles.

» Le marché fut conclu et, dans les premiers temps, je dus envoyer la marchandise en consignation, à Liverpool Station, au nom de Mr. Brooker. Après, je fus prié de l'envoyer directement à un certain Mr. Lamy, habitant Cutler Street, n° 18c, dans Houndsditch. Le paiement se fit toujours correctement. Il y a un an environ, le dernier se fit attendre. Je ne voulais pas faire de rappel de crainte de froisser de bons clients mais, comme mes affaires m'appelaient à Londres, je décidai de passer moi-même dans Cutler Street. A l'adresse indiquée, je trouvai une maison de chétive apparence, sous-louée en chambres et en appartements. Je m'enquis auprès du concierge d'un certain Mr. Lamy et j'appris que le gentleman en question avait déménagé depuis plusieurs semaines sans dire où il se rendait.

» Le concierge était bavard et se plaignait fort d'avoir perdu un locataire bon et tranquille comme Mr. Lamy.

» Il me fit même voir l'appartement que ce dernier avait occupé : une suite de trois jolies chambres très claires et qu'il louait à un prix vraiment raisonnable. Les pièces étaient vides et propres. Une seule chose y avait été oubliée, c'était un morceau de cire à cacheter, d'un beau rouge brillant, posé sur un coin de la cheminée.

» Machinalement je jouai avec ce bout de cire et la couleur m'en parut si attrayante, qu'avec l'agrément du concierge, je le mis dans ma poche.

» Depuis, j'ai voulu m'en servir pour cacheter des lettres mais je découvris que ce n'était pas de la cire et qu'elle ne brûlait pas plus qu'une pierre. En lisant le *Sunday Chat* dont je suis un fidèle abonné, j'ai lu des considérations très curieuses ayant trait à l'affaire qui vous préoccupe en ce moment. On y parlait de pratiques de magie ancienne où le sang répandu de volailles noires jouerait un certain rôle. J'ai pensé alors à mon client d'antan et également au morceau de substance rouge que j'avais conservé. Je vous l'apporte ; il vous sera peut-être plus utile qu'à moi-même.

Murdoch Blossom défit un paquet qu'il tira de sa poche et tendit au détective un petit cylindre, gros comme un pouce, d'une magnifique couleur écarlate. Harry Dickson s'en saisit. Il ne fut pas long à constater que la substance était d'une nature semblable à celle de l'enduit dans la chambre rouge.

— Pouvez-vous me décrire, aussi minutieusement que possible, l'homme dont vous avez un jour reçu la visite à Maidstone, Mr. Blossom ? demanda-t-il.

— Certainement, bien qu'il n'offrît rien de remarquable. C'était un petit homme, bas sur pattes, très maigre et myope comme une taupe, puisqu'il portait de grosses lunettes convexes. Il parlait avec difficulté, comme quelqu'un qui souffre de l'asthme et est proche d'une crise. Il était très mal habillé, mais pas pauvrement. Il ne m'avait pas dit son nom, mais quand je refis la même description au concierge, je pus facilement conclure qu'il s'agissait de son locataire, Mr. Lamy.

» Le gardien de la maison me raconta également que Mr. Lamy était un petit rentier mais qu'il corsait ses revenus en jouant au voyageur de commerce, ce qui l'obligeait à de fréquents déplacements. Il ne pouvait dire à quel commerce son locataire se vouait mais à certaines odeurs qui flottaient parfois dans son appartement, il aurait juré qu'il s'occupait de produits pharmaceutiques. Il ne recevait jamais de visite et payait ponctuellement son terme.

Murdoch Blossom se tut et Harry Dickson commençait déjà à le remercier, quand le campagnard reprit :

— Je dois vous avouer, Mr. Dickson, que ceci n'est pas le seul but de ma visite, qui a un caractère plus intéressé que vous ne pourriez le croire.

» Je n'aurais pas entrepris le coûteux voyage de Bradford à Londres, si autre chose n'avait été en jeu et, notamment, ma sécurité personnelle.

» Deux jours après la mort de ce pauvre gentleman qui passa la nuit dans l'antre de la magie, comme les journaux l'appellent, je reçus une lettre de Londres. Elle ne contenait qu'une feuille de papier pliée en quatre et portant ces mots dactylographiés : *Oubliez Mr. Lamy et les poules noires, si vous tenez à la vie.*

» D'ailleurs, la voici.

C'était une simple enveloppe commerciale et le papier avait été arraché à un gros bloc-notes d'un usage très répandu, vendu à bon compte dans les moindres papeteries.

Les caractères semblaient appartenir à une machine américaine, Remington ou Underwood, assez usagée, vu l'usure des lettres e, a, h, v et des chiffres.

Le détective la mit de côté sans mot dire et Mr. Blossom, en se redressant, ajouta :

— C'est mal me connaître, Mr. Dickson, que de procéder envers moi par des menaces : je suis un ancien soldat colonial de l'armée des Indes.

Le détective lui serra chaleureusement la main.

80

— Voilà ce qui s'appelle parler, cher Mr. Blossom, dit-il d'une voix cordiale ; je suis toujours heureux d'avoir affaire à un homme ! Vos renseignements me sont précieux, plus peut-être que je ne puis m'en rendre compte pour l'heure. Il est surtout intéressant de savoir que la maison de Cutler Street, dont vous parlez, appartient au complexe d'immeubles qui a été démoli à Houndsditch.

» Maintenant, permettez-moi de vous poser quelques questions.

» Avez-vous une idée de la raison pour laquelle ce Mr. Lamy s'est adressé à un éleveur de volailles de Bradford au lieu de se fournir chez un de vos confrères moins éloigné de la métropole ?

Murdoch se mit à rire.

— Mais oui, mais oui... le bonhomme ne voulait que des poules noires, complètement noires. Cette variété, qui n'est qu'occasionnelle dans les autres établissements, ne l'est pas tout à fait chez moi.

» En revenant des Indes, j'ai rapporté des œufs d'une géline appelée, à tort ou à raison, poule tibétaine. Elle vit à l'état presque sauvage dans les plaines herbeuses proches de l'Himalaya. Il n'y a pas de variété meilleure pour obtenir des croisements robustes, résistant aux nombreuses maladies propres aux gallinacés, notamment la pépie et la morve. Quelques spécimens ont pu éclore dans mes couveuses et je suis arrivé à conserver la race, à travers de nombreux tâtonnements. Pourtant, je dois avouer que sur quinze et souvent vingt gélines, je n'en obtiens qu'une d'une couleur parfaitement noire.

Une expression de vif intérêt se peignit sur le visage du détective en apprenant ce que Mr. Blossom lui racontait avec simplicité, en s'excusant presque d'énoncer des choses aussi banales.

— Puis-je savoir dans quelle région de l'Inde vous avez servi ? demanda-t-il à son visiteur.

— J'ai d'abord été versé dans le bataillon d'administration de Calcutta mais ensuite, à cause de ma santé, on m'a envoyé à Simla, dans les montagnes.

Il bomba légèrement la poitrine.

— J'ai fait partie de l'expédition de Lord Bathurst, au Népal...

Harry Dickson se renversa sur son siège et regarda avec admiration cet homme simple qui pourtant avait vécu dans l'ombre de la gloire.

— Le Népal... le royaume interdit, voisin de l'Himalaya ! Il y a fort peu de Blancs qui y soient arrivés, il me semble.

— En tout et pour tout, deux cents, depuis que l'Angleterre est maître de l'Inde, affirma Mr. Blossom en souriant.

Ils prirent congé sur une dernière manifestation de mutuelle estime et Harry Dickson se frotta longuement les mains.

« Les poules noires... les gélines tibétaines... le Népal... Eh ! une satanée terre de magie, sur la foi de mes lectures... Mais tout ceci est bien vague encore. »

— Qu'y a-t-il encore ?

Cette apostrophe, assez mécontente, s'adressait à Mrs. Crown, sa gouvernante, qui venait de passer la tête par l'entrebâillement de la porte.

— C'est un monsieur qui se nomme comme une bouteille de stout, Bass ou quelque chose de ce genre. Il me paraît très impatient d'être reçu par vous, Mr. Dickson.

— Le professeur Surbass ? fit le détective, en cachant une forte envie de rire. Introduisez-le donc, je suis bien aise de le voir !

L'honorable Gregory Surbass paraissait fort ému, et même en colère.

— J'accuse... s'écria-t-il quand il eut repris son souffle, j'accuse cet intrigant d'Eliphas Silversmith de vouloir garder, pour lui seul, les découvertes qu'il pourra faire aisément en étant maître absolu des objets enlevés au studio rouge ! Voici plusieurs jours que je le supplie de me les laisser voir, aux fins d'un examen minutieux, et il refuse !... Je vous dirai même davantage, Mr. Dickson, il refuse de me recevoir, ainsi que tout membre de la ligue protectrice que vous connaissez mieux que personne.

— Et qu'aimeriez-vous examiner, docteur Surbass? demanda le détective.

— L'enduit rouge qui recouvre les meubles, qui est le même que celui des murs à jamais perdu, hélas, pour nos recherches.

— Qu'à cela ne tienne, répondit Harry Dickson en lui tendant le bloc de pseudo-laque que lui avait remis Murdoch Blossom.

Gregory Surbass poussa un rugissement de joie et pria le détective de lui prêter une forte loupe.

L'examen dura quelque temps mais, au fur et à mesure qu'il avançait, le docteur poussait de petits gloussements de joie.

— C'est bien cela! jubila-t-il enfin. Mais savez-vous, Mr. Dickson, que c'est la chose la plus ahurissante du monde?

— Non, je ne le sais pas, confessa le détective. Qu'a donc de particulier ce brimborion rouge?

— Brimborion! s'écria le professeur, scandalisé. Mais il y eut des gens — et il y en a sans doute encore aujourd'hui — qui auraient donné la moitié de leur vie pour en posséder une parcelle pas plus grande qu'un pois chiche! C'est la pierre ématille! Le fameux talisman nécessaire à toutes les pratiques de magie noire ou rouge qui se respectent!

Il se leva, arpenta la chambre et se mit à parler comme s'il se trouvait devant un auditoire d'étudiants attentifs:

— La pierre ématille est une espèce d'hématite très rare, qu'on trouve, paraît-il, dans le nid des huppes, mais surtout d'une variété de huppes qui vivent dans les forêts hindoustanes. On n'en connaît que fort peu... Et voici qu'une chambre entière s'en trouve tapissée... oui, je dis bien: tapissée. La pierre ématille a la propriété de se dissoudre dans un liquide appelé «grand dissolvant» et dont la composition n'est connue que de quelques rares pratiquants de sciences occultes. Evaporée par l'action du feu, la solution prend la forme d'un colloïde brun qu'on peut couler dans des formes et qui, en durcissant à l'air, prend une couleur plus rouge encore et plus éclatante que l'ématille elle-même : on la nomme, alors, « pierre renforcée ». Comment les bougres mystérieux qui ont construit l'infernal studio rouge sont-ils parvenus à se procurer un nombre aussi formidable de pierres ématilles ? Qu'on ne me le demande pas, je n'en sais rien !

— Et quelle serait la propriété magique de cette pierre ? demanda Harry Dickson d'une voix amusée.

— Ne vous moquez pas, Mr. Dickson. Tant d'événements terrifiants et incompréhensibles gravitent à travers l'histoire autour de ce talisman diabolique par excellence ! Après certaines incantations, elle pouvait rendre leur propriétaire invisible, lui révélait les trésors cachés, facilitait les pactes avec les démons, donnait la puissance et aussi le pouvoir d'envoyer, à distance, la mort et la maladie à ses ennemis ; elle était même à la base des philtres les plus efficaces.

— De tout ceci, dit le détective, je retiens que le studio rouge a dû servir à des pratiques inconnues d'occultisme.

— C'est évident, et vous faites bien de dire : inconnues car, au point de vue de la magie, cette chambre écarlate doit avoir été un arsenal formidable, d'où devaient partir des forces mystérieuses.

» Ah ! Mr. Dickson, pourquoi laisser de tels instruments aux mains d'un Eliphas Silversmith ?

Harry Dickson le regarda avec une nuance de reproche dans les yeux.

— Que reprochez-vous à Mr. Silversmith, docteur Surbass ? demanda-t-il. C'est un peintre de grande réputation et un fonctionnaire dont le British Museum estime, à juste titre, les connaissances et l'intégrité.

— Billevesées, hurla l'irascible professeur. Eliphas Silversmith est un fourbe. Il mène une vie de patachon, c'est moi qui vous le dis ! Sans doute, pendant la journée, on peut le trouver dans son magnifique atelier d'Holborn ou dans son cabinet de conservateur adjoint au musée, mais la nuit... il court la gueuse, Mr. Dickson, dans les plus bas quartiers de Londres comme un vulgaire matelot en bordée. Il boit, il organise des orgies avec des gens sans aveu et... et... il est pourri de dettes, cet individu !

Le professeur Surbass s'arrêta, essoufflé et un peu inquiet, aussi, d'en avoir tant dit.

— Je crains, murmura-t-il avec un peu de honte, que vous ne me considériez comme un triste calomniateur, Mr. Dickson, mais j'étais hors de moi en arrivant ici, du fait de l'insolent refus que j'avais essuyé de la part de Mr. Silversmith... Maintenant, je dois à la vérité d'ajouter que tout ce que je viens de vous dire sur son compte est exact et aisément vérifiable.

Harry Dickson réfléchit.

— La vie privée de Mr. Eliphas Silversmith ne nous regarde pas... du moins pour le moment, dit-il lentement. Mais tout vient à point dans une enquête comme celle-ci. Par conséquent, je vous promets une discrétion absolue quant à ce que vous venez de m'apprendre sur le compte de ce... gentleman.

» Le refus que vous avez essuyé ne se justifie pas tout à fait, je vous le concède, mais pour le moment, les meubles du studio rouge appartiennent avant tout à la justice. Vous venez de me donner des informations qui pourraient être précieuses, et je dois vous en remercier. Pourriez-vous m'indiquer des pratiquants sérieux et surtout honnêtes — j'aimerais dire «scientifiques» — des sciences occultes dont vous venez de parler ?

Gregory Surbass se gratta le menton, d'un air perplexe.

— C'est assez difficile, ce que vous me demandez là... Tous ces gens se cachent. Seuls les charlatans font parade de leur faux savoir ; les véritables initiés, eux, professent une horreur sacrée de toute publicité. Pour ma part, je ne pourrais vous indiquer qu'une seule personne, mais je doute fort qu'elle réponde à un appel venant de vous, et...

Il hésitait visiblement.

— Promettez-moi de ne jamais me mêler à cette affaire, supplia-t-il, c'est-à-dire de ne jamais révéler que le renseignement vient de moi. La personne est tellement haut placée... mais il se peut que votre ami Lord Cobwell puisse exercer une pression sur elle, ou, du moins, sur sa bonne volonté.

— Tout cela vous est promis, docteur... Voulez-vous parler, à présent ?

— C'est la baronne d'Hock... murmura Surbass.

— Diable ! La propre cousine...

— Oui, elle a du sang royal dans les veines. Vous savez bien que ses aïeux furent de la journée d'Hastings ! On dit... murmura Surbass.

— Tant de choses, mais dites quand même ! invita Dickson en souriant.

— Que la baronne et la fameuse, la mystérieuse Mélanie Balder ne feraient qu'une seule et même personne !

Harry Dickson ne riait plus. Ses pensées voyageaient ; elles prirent bientôt une forme qui ne lui sembla pas rassurante, au premier abord.

La baronne Elisabeth d'Hock possédait une fortune prodigieuse. Elle était restée célibataire, malgré les offres de mariage les plus brillantes.

Supérieurement intelligente, mais se sachant laide et difforme, elle avait compris que toutes ces avances s'adressaient à ses millions plus qu'à sa personne. Aussi les prétendants avaient-ils été renvoyés sans ménagement.

Elisabeth d'Hock possédait, à Londres, un hôtel, vieux mais beau. Elle l'habitait rarement, lui préférant la hautaine solitude de son château et de ses vastes domaines des Cornouailles.

On la savait éprise d'art ancien et d'histoire. Mais elle se montrait revêche envers les autres savants en la matière — et très avare.

86

— Comment savez-vous que la baronne se prête à des pratiques aussi... superstitieuses pour une femme d'une si haute culture ? demanda le détective au professeur Surbass.

Celui-ci manifesta quelque embarras.

— Il me coûterait de vous mentir au point où nous en sommes, Mr. Dickson, dit-il, tandis qu'une légère rougeur montait à ses joues parcheminées. Moi-même, je me suis diverti... oui, diverti seulement, à ce genre de pratiques. Dans le département de la bibliothèque de Charter-House, qui est sous ma surveillance, sont enfermés des livres fort rares traitant des sciences secrètes ; notamment une copie, partielle mais exacte, du Grand Albert et de la Clavicule du roi Salomon. On y trouve même des traités, rarissimes, fournissant une étude explicative de la partie hermétique des Védas — la grande science hindoue.

» Un décret royal, datant de l'année 1660, défend la lecture de ces œuvres, et il est toujours en vigueur.

» Un jour, la baronne d'Hock est venue me trouver. Elle prétendait me faire outrepasser l'ordre royal et, naturellement, je refusai.

» — Adressez une requête à Sa Majesté, lui suggérai-je. Elle seule a le droit de vous donner une pareille autorisation.

» Elle a commencé par se moquer de moi, puis elle a fini par tempêter, menacer, se conduire comme une furie même, mais je tins bon... Alors...

— Alors elle passa aux promesses, acheva Harry Dickson.

Le professeur baissa honteusement la tête.

— C'est vrai... je les ai acceptées. Je n'ai que mes honoraires de professeur, qui ne sont pas brillants, et les livres d'histoire coûtent si cher.

» Je lui ai donné l'occasion de se documenter dans la partie interdite de la bibliothèque ; depuis, je sais que la baronne d'Hock est férue des choses de ce genre, comprenez-vous ?

Mrs. Crown frappa à la porte.

— Mr. James Doomstetter désire être reçu par vous, annonça-t-elle.

— Cet excellent Doomstetter! s'écria Surbass avec enthousiasme. Ce n'est pas un savant, il s'en faut même de beaucoup, mais c'est un mécène, et comme il est généreux! Les fourbes en profitent pour lui refiler des Vénus de Milo en carton-pâte et des toiles préraphaélites fabriquées en série par les rapins de Soho, mais il ne se plaint jamais, même pas lorsqu'il apprend qu'il a été roulé. Je vais partir mais, auparavant, j'aurai grand plaisir à lui serrer la main!

Ainsi fut fait quand le riche collectionneur fut introduit.

— Je suis venu rendre visite à Mr. Dickson pour voir où on en était avec ce terrible studio rouge qui nous a donné à tous notre part d'émotion, dit Gregory Surbass en serrant la main de Mr. Doomstetter. Je parie qu'un même vent vous amène, cher ami?

Le collectionneur, un petit homme à mine effacée et doucereuse, hocha la tête d'un air embarrassé.

— Ne partez pas, Surbass, vous pourrez peut-être appuyer ma requête auprès de Mr. Dickson. J'étais venu pour acheter... hum... Je crois que c'est fort osé de ma part, mais vous savez que je ne vis que pour mes collections, et je payerai tout ce qu'il faudra...

— Dites donc, cher Mr. Doomstetter, l'invita le détective d'une voix aimable.

— Eh bien... excusez-moi si ma prière vous semble trop audacieuse... je suis venu demander l'autorisation d'acheter les meubles du studio rouge!

3. La deuxième victime du studio rouge

Harry Dickson vit les deux visiteurs s'éloigner dans Baker Street, se donnant le bras comme de vieux amis, le professeur Surbass gesticulant, selon son habitude, Mr. Doomstetter opinant du bonnet et écoutant bien plus qu'il ne parlait.

Ce dernier s'en allait un peu déçu et attristé, car le détective lui avait fait entrevoir l'impossibilité d'acquérir les meubles pour le moment.

Il avait pourtant consolé l'un et l'autre en leur remettant un billet pour Mr. Eliphas Silversmith, insistant pour que l'interdiction de voir les objets mystérieux soit levée en leur faveur.

Ah! Dickson était à cent lieues de prévoir que la fatalité le guettait, une fois de plus, au détour de la rue.

Les visiteurs partis, il s'était plongé immédiatement dans une recherche documentaire ardue. Ceux qui ont suivi d'assez près la carrière de Harry Dickson n'ignorent pas que le prestigieux détective bâtissait ses plus fameux succès sur un véritable travail de bénédictin.

Entre chien et loup, il fut tiré de son labeur par une furieuse sonnerie de téléphone.

C'était le sergent Carter de la police métropolitaine, affecté à la brigade de surveillance spéciale du British Museum, qui l'interpellait.

— Pourriez-vous venir d'urgence au musée, Mr. Dickson? demanda le policier. Il y a quelque chose qui tarabuste le directeur général. Il a également invité le superintendant Goodfield à venir le trouver sans retard.

Mû par un mauvais pressentiment, le détective abandonna ses livres et se fit conduire en toute hâte au British Museum. Il arriva au moment de la fermeture des portes.

A peine avait-il traversé le premier couloir du département des bureaux que Goodfield arriva, tout affairé, à sa rencontre.

— Je crois que ce maudit studio rouge est encore une fois en jeu, maugréa l'excellent homme. L'adjoint du directeur général va vous recevoir à l'instant; il est en conférence avec un secrétaire du Département des musées, et je crois que l'entretien est plutôt orageux.

Harry Dickson s'approcha de la porte matelassée du cabinet directorial: il ne dut commettre aucune indiscrétion pour entendre la voix furibonde du secrétaire morigénant son sous-ordre.

— Il faut que ces histoires finissent, monsieur le directeur, nous en avons assez de retrouver chez les marchands de bric-à-brac de Cheapside des objets provenant des collections de ce musée, et, notamment, des vitrines d'art qui sont sous la garde de Mr. Eliphas Silversmith !

— Ouais, grommela Goodfield, ce n'est pas notre faute si nous entendons sans écouter aux portes. M. le secrétaire a la voix tellement perçante !

Sur ces entrefaites, la porte verte s'ouvrit et le directeur adjoint invita, d'un geste courtois, les policiers à entrer.

— Mr. Dickson… commença-t-il, cherchant péniblement ses mots, et vous aussi, Mr. Goodfield, nous nous sommes décidés à vous faire venir…

— Au sujet des objets confiés à la garde de Mr. Silversmith et vendus chez les regrattiers de la City ? demanda narquoisement le détective. Mon ami Goodfield et moi, nous sommes un peu au courant, grâce au diapason extrêmement élevé de la voix de M. le secrétaire.

Celui-ci, un gros homme à la mine vulgaire, les regarda d'un air rogue, et finit par grogner :

— Hum… ces choses ne sont pas très importantes, en somme, et c'est pour cela que j'ai élevé la voix sans penser à mal.

— Et ce n'est pas cela non plus qui m'inquiète outre mesure, dit à son tour le directeur, car les objets dérobés sont d'assez minime valeur. Néanmoins, il était de mon devoir d'en parler à Mr. Silversmith. C'est ce que je me proposais de faire ce matin. Je le convoquai, ici, à mon bureau, mais il ne vint pas. J'ai fait téléphoner chez lui, son domestique m'a répondu qu'il n'était pas revenu à son domicile. Cela non plus n'a rien de bien extraordinaire. Mais, par un garçon de salle, j'appris que, vers l'heure de midi, on a vu Mr. Silversmith quitter précipitamment le Département, accompagné de deux de ses amis que vous connaissez : Mr. Doomstetter et le docteur Surbass. Ni l'un ni l'autre de ces deux gentlemen n'est revenu, depuis, à son domicile. Sans doute, il n'y a pas lieu de s'alarmer outre mesure, mais... ah! j'espère que nous n'allons pas nous trouver devant une nouvelle horreur!

— Qu'est-ce à dire? demanda Harry Dickson, étonné devant cette brusque interjection.

— Vous connaissez mieux que personne le studio rouge de Houndsditch et les incompréhensibles meubles qui ont été confiés à notre garde, Mr. Dickson. Mr. Eliphas Silversmith les avait fait déposer dans une salle attenante à ses bureaux.

» Voici que, dans le courant de cet après-midi, un surveillant de ronde entendit un bruit étrange s'élever de ce cabinet : c'était une sorte de chanson aux notes tellement discordantes que l'homme dut s'enfuir en se bouchant les oreilles. Il ne revint que lorsque le silence retomba. Alors, il frappa à la porte, sans toutefois recevoir de réponse.

» Il m'avertit un peu plus tard et je me rendis sur place. Je découvris que la porte était nantie de serrures nouvelles, très compliquées, et que les deux fenêtres donnant sur une des cours avaient été obturées à l'aide de lourds volets intérieurs, assujettis par de grosses barres de fer. L'affaire du studio tragique m'était trop fraîche dans la mémoire pour prendre des responsabilités sans avertir, au préalable, mes chefs directs. J'ai donc averti M. le secrétaire Chickens, qui a bien voulu se déranger personnellement et qui m'a enjoint d'avoir recours à vous, Mr. Dickson, et à la police officielle, avant de procéder à l'effraction du cabinet en question.

— Ne perdons pas une minute! dit vivement le détective, en songeant à l'affreuse chanson que les ouvriers du chantier d'Houndsditch avaient entendue, eux aussi.

La porte était de chêne robuste et les serrures dignes d'une chambre forte de banque. Ordre fut donné à deux vigoureux surveillants de défoncer un des panneaux à l'aide de la hache et du marteau.

— Je me demande ce que l'on va trouver derrière, murmura Goodfield à l'oreille de son célèbre ami.

— Un mort, Goodfield... et quel mort! répondit tout aussi doucement Harry Dickson.

Goodfield allait répondre, tout effaré par une pareille affirmation, quand le panneau attaqué vola en éclats.

Un des gardiens passa la main par l'ouverture et fit fonctionner les verrous mécaniques à l'intérieur: la porte s'ouvrit.

La salle était grande et la clarté du jour, qui filtrait de la partie supérieure des volets, était suffisante pour y voir. Après une brève recherche, un des employés trouva le commutateur et fit jaillir la lumière d'un plafonnier.

Les meubles rouges occupaient le coin le plus reculé de la pièce, et ce coin était encore rempli d'ombre; pas assez pourtant pour masquer la vision d'épouvante qu'il abritait.

Le directeur et le secrétaire d'Etat reculèrent en poussant des hurlements d'effroi. Harry Dickson fut seul à s'avancer vers la large table écarlate. Il venait de revoir l'horrible masque mortuaire de Sebald Linkins: les mêmes yeux révulsés, le même rictus d'abjecte terreur, la même double ligne sanglante zébrant les joues.

Mais ce n'était pas Sebald Linkins qui se recroquevillait hideusement dans la mort, c'était Gregory Surbass!

— Ah! maugréa Dickson qu'une sourde fureur commençait à animer. Il ne sera pas dit que je ne trouverai rien aujourd'hui!

» A vous tous, je demande du calme et du sang-froid, dit-il d'une voix ferme. Un crime a été commis, car un fait aussi épouvantable ne se répète pas aussi fidèlement sans une intervention intelligente.

» La mort de Gregory Surbass remonte à plusieurs heures déjà, car le corps est glacé et rigide. Pourtant un de vos surveillants, monsieur le directeur, a vu le professeur s'éloigner sur le coup de midi en compagnie de Messrs Silversmith et Doomstetter?

— C'est moi-même, intervint l'un des gardiens. Et je me suis fait la remarque que, pour des messieurs d'un âge aussi respectable, ils couraient bien vite. Pourtant, je ne puis dire par où ils se sont éloignés.

Harry Dickson examinait la table. Alors que dans le studio souterrain elle était nette et vierge de toute souillure, ici, une légère couche de poussière la recouvrait. Le détective y releva de larges traînées dues, sans aucun doute, aux gestes d'agonie du professeur, mais soudain ses yeux s'agrandirent : l'index du mort était fortement souillé de poussière grise et semblait désigner quelque chose sur la surface rouge de la table.

C'était un mot écrit malhabilement, formé de quatre lettres tremblantes : *bath*. Qu'avait voulu dire le docteur Surbass par cet ultime appel graphique ? Goodfield, qui avait vu presque en même temps que son ami, s'écria :

— Ah ! Voici une indication tout de même : Bath, c'est une station balnéaire très fréquentée près de Bristol. Nous allons dépêcher quelques inspecteurs dans ce patelin, mon cher Dickson !

— Je n'y vois pas d'inconvénient, murmura le détective, mais que cela ne nous empêche pas de chercher plus avant.

Doucement, avec des gestes respectueux, il déplaça légèrement le mort ; un objet menu tomba par terre avec un bruit mat : c'était un carnet de notes relié en cuir noir.

Le détective s'en empara et vit le nom de Surbass gravé au feu dans le cuir de la couverture. Le cahier était nouveau et seule la première page portait quelques mots tracés au crayon : « Ematille — Népal — Miroir D — Elisabeth. »

Harry Dickson se souvint de la conversation qu'il avait eue, le matin même, avec le professeur Surbass ; ce dernier y avait parlé assez longuement de la singulière pierre magique qu'il estimait provenir de l'Hindoustan, mais il n'avait pas cité la région interdite du Népal.

Mais, au cours de la visite qui précéda la sienne, le nom de ce lointain et mystérieux royaume avait été prononcé à plusieurs reprises par Mr. Blossom. Quant au miroir D, il n'en avait pas été question.

Par contre, Surbass avait parlé de la baronne d'Hock dont le prénom était Elisabeth... Tout cela, Harry Dickson le nota mentalement.

Or, il était évident que ces notes brèves avaient été prises par Surbass après avoir quitté Harry Dickson.

Deux faits nouveaux avaient donc dû se produire pour le docteur Gregory Surbass, deux faits qui valaient la peine d'être notés par lui et qui avaient trait au Népal et à un certain miroir D.

Harry Dickson continua son raisonnement : « Dans l'intervalle qui sépare son départ de Baker Street et l'instant tragique de sa mort, il ne semble pas que le docteur ait vu d'autres personnes que Messrs James Doomstetter et Eliphas Silversmith — du moins, des gens assez érudits pour lui donner des renseignements qu'il ne semblait pas connaître au moment de son entrevue avec moi.

» Mais James Doomstetter, pour être un fervent collectionneur, n'est pas un érudit : reste Silversmith.

» Et Silversmith, en dehors de ses connaissances d'art pouvait-il passer pour un initié aux pratiques secrètes des sciences occultes ? »

Harry Dickson ne le pensait pas et déjà, il voyait le cercle vicieux fermer sa courbe fatale autour de son raisonnement, le laissant sans résultat.

A cette seconde, se produisit l'événement qui devait bouleverser cette théorie échafaudée à la hâte.

Perdu dans ses pensées, le détective leva les yeux au plafond, les laissa errer jusqu'au moment où ils se posèrent sur l'espace vide laissé entre le haut d'une des fenêtres et la partie supérieure du volet.

Un crépuscule violet y obscurcissait l'étroit pan de ciel et, dans cet interstice, livide sur le fond assombri, un visage hagard s'enchâssait. Tout d'abord, le détective ne vit que les yeux horrifiés, démesurément ouverts, et le front pâle comme la cire mais, presque aussitôt, il lui parut que le regard angoissé de ce visage s'adressait plutôt à lui, Dickson, qu'à la scène d'épouvante même.

Mais Goodfield, lui aussi, avait vu. Il s'élança vers la fenêtre dont il arracha littéralement le panneau de chêne. La croisée s'ouvrit sur la cour sombre et, plus loin, une porte claqua.

— Au galop! hurla le superintendant, il ne faut pas qu'il nous échappe!

— L'assassin! crièrent le directeur et le secrétaire Chickens.

Les gardiens franchirent le rebord de la fenêtre et s'enfoncèrent en courant dans la nuit, accompagnés de Goodfield qui s'était lancé au pas de course. Harry Dickson n'avait pas bougé, son front s'était barré de lourdes rides et, tout bas, se parlant à lui-même, il murmura :

— Pourvu qu'ils ne le rattrapent pas!

Au bout d'un certain temps, les gardiens et Goodfield revinrent, essoufflés et bredouilles.

— Au diable, l'assassin vous a échappé! glapit Mr. Chickens.

— Nous croyons plutôt qu'il s'agit d'un surveillant un peu trop curieux, riposta Goodfield, d'une voix lasse. Je n'ai fait qu'entrevoir sa tête et je ne pourrais le reconnaître. En tout cas, un assassin ne se conduirait pas d'une façon aussi stupide!

— Très juste, Goodfield, approuva Dickson.

Ce qui fit taire Mr. Chickens.

Les instructions d'usage furent données : le cadavre du pauvre Surbass serait envoyé à l'Institut de médecine légale et la salle aux meubles rouges mise sous scellés jusqu'à nouvel ordre.

— J'ai une nuit de travail devant moi, déclara Harry Dickson en prenant congé du directeur et de Mr. Chickens.

Il regagna Baker Street sans mentionner le visage apparu au haut de la fenêtre, ce visage qu'il avait reconnu : celui de Murdoch Blossom.

Harry Dickson achevait de donner ses instructions à son élève, Tom Wills.

— Il nous faut retrouver deux hommes et cela dans le plus bref délai : Eliphas Silversmith et Murdoch Blossom.

» La recherche du premier vous incombe, Tom. Les indiscrétions de feu le docteur Surbass nous ont fait connaître la seconde vie que mène cet artiste doublé d'un érudit. Il est donc très probable qu'il se soit enfoncé dans la jungle des bas quartiers de la ville qui semblent lui être familiers.

» Il n'est pas tard et vous avez un peu de temps pour faire le point.

» Selon les dires de Mr. Chickens, des objets enlevés au musée ont été mis en vente chez les revendeurs de Cheapside et de Whitechapel... Optons pour ce dernier quartier. Je vous laisse la bride sur le cou, vous êtes assez habile pour mener cette recherche à bien.

» Doomstetter m'intéresse moins pour l'heure. D'ailleurs, je ne lui connais aucun point d'attache, en dehors de son domicile où il n'est pas revenu.

» Quant à moi, voyons si ma bonne étoile voudra bien que les chemins de Murdoch Blossom et les miens se croisent cette nuit.

Ils se séparèrent sur une cordiale poignée de main.

Nous suivrons d'abord Harry Dickson.

Le détective musa quelque temps par les rues remplies de monde, puis il se dirigea vers Bedford Square et longea Montague Street, noire et désertée. Devant lui, l'énorme bâtisse du British Museum formait une immense tache de ténèbres, à peine étoilée par les fenêtres illuminées des divers corps de garde. A la fin, il frappa, d'un doigt discret, à l'une d'elles et une ombre se profila derrière les vitres.

— Sergent Carter, appela doucement le détective, faites-moi entrer sans que personne s'en aperçoive !

Le policier baissa un moment la lumière et ouvrit vivement la fenêtre.

— Ce n'est pas réglementaire, mais quand il s'agit de vous, Mr. Dickson...

— Pouvez-vous quitter votre poste, Carter?

— Non, ceci est sévèrement interdit!

— Aussi, je ne vais pas vous demander de désobéir à la consigne, mais je vois que votre poste communique par téléphone avec les différents corps de garde des surveillants. Qui est de service à la station hindoue?

— C'est le gardien Slatterbox, un bon garçon mais bête comme une huître.

— Aime-t-il prendre un verre?

Carter se mit à rire.

— Un verre? Non, mais parlez-lui de deux ou de trois et même davantage. Il estime que lorsqu'il boit peu, cela lui fait du mal.

— Donnez-lui un coup de téléphone, jouez au couard: dites-lui que le crime d'aujourd'hui vous a tapé sur le système et que la solitude vous pèse. Ajoutez qu'il vous serait impossible de boire votre whisky sans une compagnie honorable et divertissante.

— Très bien, répondit le sergent, j'ai toujours en réserve une pinte de brandy de bonne qualité, est-ce suffisant?

— Oui, attendez que je vous aie quitté avant de l'appeler... Merci de tout cœur, Carter, et à charge de revanche!

Harry Dickson sortit de la pièce et se cacha dans une des niches qui foisonnent dans les murs des corridors d'enceinte.

Quelques secondes plus tard, il entendit la grêle sonnerie du téléphone et, quelques minutes après, le pas feutré de Slatterbox.

Quand il entendit les verres s'entrechoquer, à l'intérieur du corps de garde, il prit sa course par les interminables vestibules noyés d'ombre.

C'était un fameux labyrinthe, mais le détective connaissait ses moindres recoins. Aussi, la maigre et avare lumière des veilleuses, brûlant de distance en distance, lui fut-elle suffisante pour guider ses pas dans le noir.

La section hindoue du British Museum est un musée en elle-même et comporte un nombre considérable de salles et de cabinets. Les rares lanternes grillagées qui y étaient allumées semblaient de tristes feux follets perdus dans une nuit de campagne, mais un clair de lune brouillé, filtrant par les hautes baies, permettait au détective de se diriger sans trop d'hésitation. Non sans éprouver un sentiment de malaise, il se glissa entre les formes menaçantes des dieux de l'Inde : Ganeśa semblait brandir une trompe meurtrière hors de son coin feutré de ténèbres ; Hanuman, la divinité simiesque, grimaçait atrocement au clair de lune et Kâli agitait ses bras multiples comme une pieuvre monstrueuse...

Soudain, le détective fit halte à l'entrée d'une salle latérale où la lumière d'une lampe de secours, voilée de bleu, éclairait tant bien que mal l'inscription murale : Népal.

C'était une pièce en rotonde, au dôme vitré ; le cône de lumière qu'il diffusait faisait sortir de l'ombre des maquettes en relief, des tableaux, des fresques admirablement coloriées, des fauves empaillés, et d'innombrables vitrines remplies d'objets étincelants.

Harry Dickson s'avança à pas de loup vers le centre de la rotonde, sortit de sa poche un paquet assez volumineux qu'il dissimulait et le déposa sur une des tables à maquettes.

Puis, sans se retourner, il rebroussa chemin jusqu'au corps de garde, où il se blottit dans la même niche d'ombre.

Un instant plus tard, un chat miaula longuement.

— Allons, Slatterbox, dit la voix de Carter, il est temps de retourner à votre poste car, d'ici à un quart d'heure, le surveillant-chef pourrait faire sa ronde.

Le gardien sortit et retourna à la section hindoue, d'un pas guilleret. Après avoir vivement remercié le sergent de police, le détective sortit par où il était entré. Il se trouva de nouveau dans Montague Street.

4. La nuit singulière

Trop souvent, en matière de police, on confond hasard, instinct et chance, à moins qu'on ne veuille y introduire un terme assez frelaté en pareille occurrence : le flair.

Le flair policier n'existe pas, quoi qu'en disent les auteurs du genre, mais il se peut que ce nom idiot ait pu s'appliquer à une faculté spéciale, se développant au long de sa carrière, chez le policier averti.

Cette faculté, que les profanes apparentent à une sorte de sixième sens, n'est, à vrai dire, qu'une résultante de l'exercice quotidien du raisonnement, de la logique, de l'application rationnelle de diverses méthodes, qu'elles soient inductives ou déductives.

Le biographe de Harry Dickson, en rédigeant les Mémoires de ce dernier, a pu constater souvent que le célèbre détective arrivait maintes fois, sans se donner apparemment beaucoup de peine, à découvrir tel ou tel point névralgique d'une énigme.

Chance, hasard ou bien le fameux « flair » inventé par les ignorants ?

Non : « mnémotechnique » est un terme plus approprié. Les anciennes affaires servent beaucoup les affaires nouvelles et, quand Dickson affirmait que le mémorial du crime se présente souvent comme une chaîne de raisonnements et de faits, tel un livre de géométrie euclidienne, il formulait une vérité profonde.

Tom Wills n'avait pas été en vain à la dure école du maître et, en de nombreuses circonstances, cette faculté l'avait servi.

En se rendant, ce soir-là, dans Whitechapel — ou dans ce qui restait de torve de ce quartier, naguère sombre entre tous —, il n'hésitait pas trop sur l'itinéraire à suivre. Il savait que les regrattiers assez audacieux pour mettre en vente des objets dérobés aux musées d'Etat n'étaient pas nombreux et que, parmi eux, il y avait un tri à faire. Le coquin le plus averti du genre était certainement Oswald Metra, surnommé Mickey Mouse, vieux métèque madré, capable de vendre son propre père pour de l'argent ou pour tout autre avantage. Mickey habitait une fort coquette boutique de Raven Row ou, plutôt, d'une de ces petites rues adjacentes qui portent pour tout nom celui de l'un ou l'autre de leurs cabarets.

La taverne la plus fameuse, voisine de la maison de Mickey, portait l'enseigne du *Vieil Hollandais*, çe qui fait que la rue avait pris le nom de «rue du Vieil-Hollandais».

Tom Wills y arriva au moment où l'usurier-receleur-prêteur-sur-gages rajustait les volets de bois peint devant la devanture aux lampes éteintes.

— Ce cher Mr. Wills! s'écria Mickey Mouse. Si jamais visite tardive m'a fait plaisir, c'est certainement la vôtre! Qui dit Tom Wills, dit Harry Dickson. Je présume que mon célèbre ami n'est pas loin... Le verrai-je, au moins?

— Qui sait? répondit malicieusement Tom Wills. Lui et peut-être bien d'autres gentlemen encore, qui aiment fourrer leur nez dans les affaires d'autrui.

— Bah! aussi longtemps qu'elles sont nettes et propres comme les miennes, ils n'ont rien à craindre pour leur nez, repartit le coquin avec aplomb. Entrez donc, cher jeune homme, et venez vous rafraîchir.

Tom accepta et suivit le vieux scélérat dans une charmante cuisine, toute luisante de céramique, où brûlait un feu clair et où brillait un adorable petit lustre à pendeloques de cristal.

— Un doigt de véritable kummel de Finlande, n'est-ce pas? proposa Mickey.

La cave à liqueurs du regrattier était célèbre dans tout Londres et Tom accepta, non sans plaisir, la tulipe en verre de Bohême remplie de la claire liqueur parfumée.

— Qui cherchez-vous? demanda tout à coup Metra. Tom Wills secoua la tête.

— Il serait plus exact de dire «que cherchez-vous»,

100

répondit-il… Oh, peu de chose, en somme ; des babioles envolées du British Museum…

Mickey Mouse aspira longuement la fumée de sa pipe en terre rouge.

— Dans ce cas, ce n'est pas mon affaire… Dommage, j'aime rendre service à Mr. Harry Dickson et à ses amis.

— Pourtant, c'était une affaire à traiter sur le velours puisque le conservateur… négligent vient d'être suspendu de ses fonctions. Silversmith qu'il s'appelle.

Mickey Mouse ne tiqua pas mais les jets de fumée se précipitèrent.

— Je pensais bien que, l'un ou l'autre jour, il se ferait pincer à cause de sa vie de bâton de chaise, murmura-t-il sentencieusement. Personnellement, je n'ai jamais traité avec lui et vous m'en voyez fort aise, Mr. Wills.

— Oh, repartit le jeune homme avec insouciance, ce n'est pas tant de lui qu'il s'agit, en vérité, car je crois qu'il s'en tirera avec une punition administrative. Mais il n'en va pas de même pour son satellite, vous savez bien, hein, l'infect petit bougre qui lui tient compagnie dans ses sottes débauches, vraiment indignes d'un homme comme lui.

Tom Wills avait lancé cette parole à tout hasard, guettant la réaction. Elle vint, plus violente que ne l'avait prévu l'élève de Harry Dickson. Oswald Metra, dit Mickey Mouse, faillit en laisser choir sa pipe en terre ; son visage devint d'une vilaine teinte terreuse et ses mains tremblèrent visiblement.

— Non mais… vraiment… balbutia-t-il, ne cherchant même plus à cacher son trouble extrême.

Le sort en était jeté. Tom Wills décida de profiter de son avantage sur l'ennemi.

— Mickey, dit-il gravement, si je suis ici, c'est comme porte-voix du maître. Il n'ignore pas que vous lui avez été utile en plusieurs circonstances, et que vous pouvez l'être encore. Il ne désire pas que la police vous mette la main au collet, m'a-t-il dit, parce que, en cette vilaine histoire, vous ne pourriez vous en tirer à votre avantage, comme par le passé...

C'était payer d'audace car Tom Wills ne savait vraiment que reprocher à Metra mais, avec une joie indicible, il s'aperçut qu'il avait mis dans le mille en parlant de cette manière.

Mickey Mouse semblait littéralement atterré et ne songeait nullement à se dérober. Il leva vers le jeune homme un regard de naufragé.

— Pourquoi Mr. Dickson n'est-il pas venu lui-même ? gémit-il. Avec lui, j'aurais été en sécurité.

Le mot frappa le jeune homme et il continua, avec plus d'assurance que jamais :

— Il faut croire qu'il considère, pour le moment, mon intervention comme suffisante pour vous tirer de là, Mickey.

— C'est juste... murmura l'usurier. Ne croyez pas, Mr. Wills, que je veuille vous sous-estimer, excusez-moi !

— Il n'y a pas lieu de vous excuser, mais il faut regarder le péril en face, continua Tom, d'une voix nette et un peu brutale. J'ai pour mission de ne vous quitter que lorsque vous serez en sécurité.

— Excellent Dickson ! s'écria Mickey. Brave Mr. Wills !

— Ecoutez, dit le jeune homme, décidé à jouer le tout pour le tout, vous connaissez certainement la valeur de l'expression «prendre le taureau par les cornes». Le péril est certain pour vous, Mickey, et pas tant du côté de la police car, au fond, vous seriez plus en sécurité dans une cellule de prison que dans certains endroits de Whitechapel, à cette heure. Mais mon maître ne veut pas que vous alliez en prison, il faut donc trouver autre chose.

— Je suis votre esclave, gémit Metra, je ferai ce que vous me direz de faire.

Tom Wills approuva d'un geste de la tête et fit de grands efforts pour se composer un visage grave et soucieux.

— Ah ! ces damnés sorciers modernes, continua Tom

Wills comme s'il se parlait à lui-même. La grande difficulté, avec eux, c'est qu'ils ne se conduisent jamais comme le commun des mortels.

— Oh oui... oh oui, se lamenta Metra.

— Si nous avons l'air de fuir devant eux, ils nous rattraperont, c'est évident. Telle est aussi la conviction de mon maître, Mr. Harry Dickson... Ah, je crois avoir trouvé, Mickey !

— Dites vite, Mr. Wills, car, à ce moment, cet imbécile de Silversmith et l'affreux singe que vous connaissez doivent déjà tenir leurs assises.

Wills consulta sa montre.

— La police ne sera pas dans les environs avant une heure, dit-il, imperturbablement. De ce côté-là, le temps ne nous fait pas défaut... Quant aux autres, je crois qu'à l'heure actuelle, ils doivent juger votre cas, Mickey !

Oswald Metra se couvrit le visage de ses mains tremblantes.

— Qui a pu faire cela ? pleurnicha-t-il. Je ne leur ai jamais fait de mal et je n'ai fait que les aider quand j'ai pu... J'ai toujours eu peur de ce monde, Mr. Wills, mais les temps sont si durs.

— N'avez-vous pas eu trop confiance en Mr. Doomstetter ? demanda légèrement le malin jeune homme.

Metra se tortilla comme une couleuvre et une expression de fureur terrifiée tordit son visage.

— Canaille, glapit-il... ah, Mr. Wills, je vois bien qu'il ne sert à rien de faire le malin avec la police, surtout quand Mr. Dickson s'en mêle !

— Un instant, demanda Tom, laissez-moi réfléchir.

Il sentait qu'il avait gagné le jeu, mais que la moindre erreur pouvait lui faire perdre tout le bénéfice de sa ruse. Il laissa se dérouler, comme un film devant les yeux vigilants de sa mémoire, toute l'affaire du studio rouge, du moins ce qu'il en connaissait.

Et, ici, nous sommes une fois de plus devant un de ces faits que d'aucuns veulent nommer «flair» et qui ne sont que les résultantes de la mémoire et du raisonnement. Une brusque idée venait de naître en son esprit : il se souvint de la nuit de garde dans le chantier d'Houndsditch, où les hommes d'équipe prétendaient ne pas avoir vu un chat ou, pour dire vrai, n'avoir entrevu qu'un chat.

— Ce soir, je me serais tenu dans le voisinage de Mr. Doomstetter, dit-il, si je ne craignais pas le chat...

Il partit d'un rire qui aurait pu excuser l'erreur, si elle avait été commise, mais décidément le jeune homme tenait le bon bout.

Oswald Metra poussa un véritable hurlement d'épouvante.

— Non, pas cela !... Ni vous ni moi n'en sortirions vivants !

— Je le sais bien, murmura Tom en laissant un frisson factice agiter ses épaules. Pourtant, ajouta-t-il — et c'est l'unique chose que le maître vous demande pour le moment, Mickey —, il faut que cette nuit... les chats — vous me comprenez — soient mis hors d'état de nuire.

— Je n'oserais jamais ! balbutia le regrattier.

— Et pourtant votre vie est en jeu, Mickey. Ne soyez donc pas pusillanime ! Voyons, y en a-t-il beaucoup de ces bestioles ?

Metra le regarda d'un œil hagard.

— Je ne sais, peut-être cinq... peut-être six !

— Faites les boulettes, Mickey. Je suppose que vous avez ce qu'il vous faut.

Le regrattier se leva sans mot dire, fouilla dans le fond d'une armoire, en tira un flacon en verre bleu, puis il tira d'un buffet un petit hachoir rotatif et une livre de viande fraîche.

— Cela suffira-t-il ?

— La viande est bonne, mais le flacon ?

— Cyanure de potassium !

— Vous êtes un homme précieux ! A présent, allez me quérir dans votre boutique deux complets qui nous donneront l'air de deux charbonniers en bordée. Et, surtout, n'épargnons pas la suie sur notre visage !

Oswald Metra était complètement subjugué. Tom Wills, triomphant, se demandait pourtant jusqu'où sa ruse le conduirait.

Bientôt, les deux êtres qui se trouvaient dans la cuisine proprette ne ressemblaient plus en rien à ceux qui, quelques instants auparavant, y sirotaient un excellent kummel de Finlande; c'étaient deux lamentables *donkeymen*, en cotte bleue et grosse vareuse, au visage plaqué de suie et de charbon, qui se disposaient à partir. Le jeune détective n'avait aucune idée du chemin qu'il allait devoir parcourir, mais il se confiait, désormais, à sa bonne étoile...

— Marchez devant moi, Mickey, ordonna-t-il, et gardez la distance d'au moins trois ou quatre pas. Faisons ceux qui ont trop bu... et, surtout, ne craignez pas une attaque de derrière, je protège la retraite et j'ai ordre de me servir de mon revolver, si c'est nécessaire.

Ces mots énergiques décidèrent Metra à prendre les devants et il sortit dans la rue ténébreuse où une petite pluie drue et glacée s'était mise à tomber. Il prit par un fouillis de ruelles obscures parallèles à Sidney Street, encore assez bruyante à cette heure tardive, et, en tout cas, encore fort fréquentée; il traversa Commercial Road par l'endroit le moins éclairé et marcha délibérément vers la Tamise.

Dans Shadwell, il fit une halte précautionneuse, puis fit signe à son compagnon.

— Vous êtes certain qu'il n'y a personne? demanda-t-il anxieusement.

— Vous savez bien qu'ils ne sont pas là pour le moment! affirma Tom Wills à tout hasard et ne sachant pas de quel endroit il parlait.

La réponse parut suffisante à Metra et même rassurante, car il poussa un grognement de plaisir.

— Sans vous, sans Harry Dickson, jamais je n'aurais osé. Pourtant, le diable sait que j'aurais eu bien du plaisir à faire crever ces maudits monstres!

Ils s'avançaient le long d'un sinistre terrain vague, entouré de palissades aux trois quarts démolies. Au fond du terrain, une masure en ruine se dressait, branlante et tellement mal en point qu'elle paraissait vouloir s'écrouler, à chaque instant, sur le passant assez téméraire pour s'approcher d'elle.

— Le mur est derrière, murmura Metra, et, derrière le mur, le puisard où on les garde et où on les nourrit. Je n'oserai jamais y monter.

— Je le ferai à votre place, décida Tom Wills. Passez-moi le hachis.

La cabane croulante s'adossait à une haute muraille de brique, assez ravinée, pourtant, pour permettre à Tom Wills de l'escalader sans trop de péril.

Quelques minutes plus tard, il s'installait à califourchon sur la muraille.

— Les voyez-vous ? demanda Metra en tremblant. Seigneur, j'espère qu'ils ne sont pas habillés !

Tom Wills eut peine à retenir la question qui lui brûlait les lèvres : des chats habillés ?...

Mais un miaulement furibond détourna aussitôt son attention.

De l'autre côté du mur, s'étendait un jardin aux pelouses envahies par une ivraie luxuriante. Une de ces pelouses se creusait en entonnoir, au fond duquel le jeune homme vit d'affreuses lucioles vertes clignoter.

Il reconnut les yeux nyctalopes des chats et les félins, l'ayant aperçu à leur tour, donnèrent libre cours à leur colère impuissante.

— Mes agneaux, murmura Tom Wills, je ne sais pourquoi je vous voue à une mort certaine. Pourtant, j'ai l'impression que vous n'êtes pas des innocents et que je ne me rends pas coupable, à votre adresse, d'une irréparable erreur judiciaire.

Tout en parlant, il jetait les boulettes de cyanure dans le puisard et assista, dans la pénombre, à la lutte rageuse des félins affamés.

Il s'apprêtait à descendre quand, dans la clarté lointaine d'un haut lampadaire électrique, il vit des ombres glisser devant les palissades et bondir par une brèche à l'intérieur du terrain vague.

106

Metra poussa un cri de terreur et se mit à courir.

Au même instant, plusieurs barres de feu jaillirent du groupe des ombres et le regrattier, percé de balles, roula sur le sol.

— Par l'enfer! grinça d'une voix rauque un des inconnus penché sur le corps de sa victime, c'est cette satanée crapule de Mickey Mouse! Au diable si j'y comprends quelque chose, il savait pourtant qu'il était ici en terre interdite!

— Etait-il seul? demanda une autre voix.

Tom Wills ne demanda pas son reste, il se laissa glisser de l'autre côté de la muraille et se trouva dans le mystérieux jardin. Au-delà du mur le colloque reprenait.

— Habille-t-on un des chats cette nuit?

— Il paraît, et un fameux! En l'honneur de notre ami Harry Dickson!

Les voix s'éloignèrent et Tom resta seul, perplexe et anxieux à la fois.

Au moment où il allait percer à jour un mystère dont il ignorait presque tout, on assassinait, sous ses yeux, l'homme qui allait en soulever le voile.

Il venait de tuer une demi-douzaine de matous hérissés, sans savoir pourquoi, et d'un autre côté, il entendait parler comme d'une suprême menace d'un chat habillé à l'intention du maître.

Il décida de s'éloigner du mur, trop dangereux, et de s'enfoncer plutôt dans l'inconnu de la petite jungle.

Par des sentiers à peine frayés ou envahis par une brousse épineuse, se blessant aux ronces, se griffant aux hautes orties, il avançait à travers cette sylve en miniature, quand il vit, au loin, les contours sombres d'une imposante bâtisse.

C'était une large façade à deux étages, aux fenêtres régulières dont une, seulement, s'éclairait d'un reflet lointain.

Quelqu'un veillait donc dans cette maison ténébreuse.

Il allait s'en approcher quand, soudain, il se jeta en arrière et se blottit dans l'ombre épaisse d'un fourré de fusains et de viornes. Devant les vitres faiblement éclairées, une ombre venait de passer, une silhouette démesurée qui marchait à pas de loup. Cela dura un instant, puis elle s'évanouit parmi les autres ombres.

Tom Wills attendit un peu, mais la curiosité reprenant le dessus, il quitta son refuge et marcha vers la fenêtre.

Avec stupeur, il la vit entrouverte. Le jeune homme pinça les lèvres et soudain, dans un élan de témérité, poussa le battant. D'un agile jeu de poignets, il se hissa sur le rebord et sauta de l'autre côté, dans la pleine obscurité d'un immense corridor. Il resta immobile, craignant que le peu de bruit qu'il avait fait ne suffît pour ameuter des présences hostiles.

Mais aucune ne vint. Au bout du corridor, la lumière perçue dans le jardin luisait avec plus d'intensité.

Tom allait se remettre en marche quand la même ombre se profila de nouveau.

Cette fois-ci, elle émergeait des ténèbres du couloir et se détachait en noir sur le fond éclairé.

Quelques secondes après, elle avait disparu.

Tom Wills décida de marcher dans sa direction. Frôlant les murs, retenant son souffle, il avançait pas à pas, fixant un carré de clarté rougeâtre qui, lentement, se rapprochait.

Il était tout près, à présent, mais il n'osait plus faire un seul pas.

Devant lui s'ouvrait une porte et celle-ci donnait sur une chambre fortement éclairée. Le jeune homme entendit le bruit d'une page qu'on tournait.

Quelqu'un lisait dans la pièce illuminée.

Il jugea que sans trop de péril il pouvait s'approcher du seuil de cette chambre, rester dans l'ombre et, peut-être, voir sans être vu. Après une suprême hésitation, il franchit la dernière distance qui le séparait de la porte ouverte.

D'abord, il fut ébloui par la clarté d'une forte lampe à incandescence descendant du plafond, mais à peine ses regards s'étaient-ils ressaisis qu'il chancela, prêt à s'écrouler, frappé d'une stupeur inouïe :

108

Le studio rouge était devant lui !

Oui, les murs rouges, la table basse et les sept chaises, toutes hideusement écarlates.

Mais sur la table, plusieurs livres s'entassaient et un homme, drapé dans un large manteau, lisait l'un d'eux en lui tournant le dos.

Que faire ? Soudain, le lecteur se retourna vivement et Tom Wills leva son revolver.

— Rentrez ça, petit nerveux, dit une voix douce.

Et Tom vit le visage moqueur de Harry Dickson levé vers lui.

— Maître ! balbutia le jeune homme, comment se fait-il que je vous trouve ici ?

— Et pourquoi ne me trouverais-je pas ici, mon garçon, répondit le maître en souriant ; savez-vous où nous sommes ?

— Eh bien non, je ne le sais pas !

— Chez notre ami James Doomstetter… Mais soyez tranquille, il n'est pas chez lui et il n'y rentrera pas de sitôt, je crois !

5. La chanson qui tue

Quand ils furent remis de leur mutuelle émotion — car Harry Dickson avoua qu'il n'avait pas entendu sans appréhension le pas précautionneux de son élève dans le corridor —, Tom Wills ne put se soustraire à sa manie de poser des questions.

— Que signifie ce studio rouge, maître, a-t-il déménagé à nouveau ?

Harry Dickson nia de la tête.

— Pas du tout. A première vue, on pourrait se croire dans une chambre identique, une seconde édition quoi… mais après un examen assez sommaire, on abandonne cette thèse. Nous sommes ici dans un simili-studio rouge ! Une reproduction, et rien de plus, du premier.

— Comment êtes-vous arrivé à penser cela, maître ?

109

Le détective sourit et montra quelques menues griffes faites, à la pointe du canif, dans la surface écarlate de la table.

— Ceci est de la vulgaire peinture, Tom, et non de la coûteuse pierre ématille.

— Ah, s'écria le jeune homme, je comprends : dès que James Doomstetter a vu le fameux studio rouge, il s'en est fait construire immédiatement un pareil, et comme l'argent ne lui manque pas, il le lui a fallu dans les vingt-quatre heures !

— Hypothèse séduisante, mon garçon, si ces meubles et cette peinture étaient de date récente. Non, le studio où nous nous trouvons existait déjà bien longtemps avant notre découverte d'Houndsditch.

— Dans ce cas, le sieur Doomstetter doit être un damné cachottier !

— Qui sait ? Un avenir bien proche nous l'apprendra sans doute. Ne nous hâtons pas de conclure. A mon avis, nous nous trouvons dans une salle d'expérience où se répétaient certaines pratiques qui, en réalité, étaient destinées au véritable studio rouge, celui des étranges souterrains que vous connaissez.

— Maître ! s'écria tout à coup le jeune homme, nous voici dans une maison singulière et, en plus, étrangère. Et pourtant, vous y êtes installé comme chez vous. Voilà ce que je m'explique difficilement.

Harry Dickson partit d'un rire dont il ne voila nullement l'éclat.

— Toutes choses en leur temps, déclara-t-il malicieusement. Vous savez bien que je ne déteste pas ménager mes effets, surtout quand je suis certain de les réussir... Et, cette fois, comme j'en suis sûr !

Tom Wills s'inclina, la joie de la victoire prochaine envahissait déjà tout son être. Il se mit à parler volubilement, racontant les péripéties de sa soirée, sa chance chez l'usurier Metra, la mort de ce dernier, le massacre des chats, sans oublier le chat « habillé » que les inconnus destinaient à son maître.

110

Harry Dickson se frotta les mains et loua très fort son élève.

— La mort de Mickey Mouse ne constitue pas une grande perte pour l'humanité, dit-il, mais nous la vengerons comme il le faut. Quant aux chats... je suis fort aise qu'il n'en sera plus question d'ici peu. Cela suffit pour créer autour de nos prochaines aventures une atmosphère de sécurité relative, comme vous l'apprendrez bientôt.

Il se leva et s'empara d'un des volumes qu'il avait consultés.

— Quelqu'un que j'attendais ici est un peu en retard, murmura-t-il en regardant l'heure à son chronomètre.

Il avait à peine dit cela qu'au fond de la maison vide une porte claqua, sans trop de ménagements, et que des pas pressés retentirent dans le corridor.

Tom Wills regarda son maître avec appréhension. Les pas se rapprochaient vivement, sonnant de plus en plus fort, mais le détective souriait, les yeux au plafond.

— Entrez, fit-il soudain, d'une voix volontairement assourdie.

Une exclamation terrifiée lui répondit du seuil de la chambre.

Dans le cercle de la lumière rouge, livide et chancelant, Lord Athelstane Cobwell venait de paraître.

— Ne vous effrayez pas, Sir Athel, dit Harry Dickson d'une voix rassurante, je sais bien que vous ne vous attendiez guère à me trouver ici mais je n'ai pas toujours le choix de mes moyens, au cours de mes enquêtes. Je ne sais pas si je vous tirerai complètement des griffes de la justice en ce qui concerne le meurtre de Metra...

Lord Cobwell trembla si fort qu'il dut s'asseoir.

— Je n'y suis pour rien, Dickson, murmura-t-il avec épouvante. Je n'ai jamais joué un rôle agissant dans tout ceci... j'ignore tant de choses!

— Même les chats habillés ? demanda narquoisement le détective.

Sir Athel se cacha le visage dans les mains.

— Non... soupira-t-il avec douleur.

— Qui m'étaient destinés !... Au moins, l'un d'entre eux ? continua Dickson.

Le gentilhomme leva brusquement la tête.

— Quant à cela non, je vous le jure...

— Et je vous crois, répondit le détective avec sincérité. Je ne vous crois pas capable d'une pareille forfaiture... Qui est Doomstetter ?

Lord Cobwell secoua lentement la tête.

— Pour moi, Doomstetter est Doomstetter... mais je lui dois beaucoup d'argent.

— Tout comme Silversmith, n'est-il pas vrai ?

— C'est la vérité, en effet.

— Qui a eu l'idée de fonder la ligue protectrice d'Houndsditch, après la découverte du fameux bloc de maçonnerie qui abritait le studio rouge ?

— Doomstetter... il a donné des ordres précis à ce sujet.

— Connaissiez-vous l'existence de ce simili-studio où nous nous trouvons en ce moment ?

— Oui, répondit le gentilhomme tout bas, en baissant de nouveau la tête.

— A quoi Doomstetter le destinait-il ?

— A des opérations de magie rouge, je crois, mais je vous jure que je n'en sais pas davantage.

— Et cela, je le crois également, Lord Athel ; vous voyez que je suis bon prince. Mais une amitié en vaut une autre, je vais mettre la vôtre à l'épreuve : pouvez-vous m'introduire chez la baronne d'Hock ?

Un vague sourire éclaira le visage tourmenté de Lord Cobwell.

— Cette vieille folle ? Je pense bien que je le pourrai, car je suis un des rares hommes qu'elle daigne recevoir, de temps à autre, dans sa sombre demeure de Guilford. Mais que lui dire ?

— Donnez-lui rendez-vous, demain dans la matinée,

112

au British Museum, dans le tragique studio rouge reconstitué tant bien que mal. Vous pourriez objecter, comme l'aurait certainement fait le malheureux Surbass, s'il était encore en vie, qu'elle se trouve en ce moment dans son manoir des Cornouailles, mais j'opte pour le contraire. Lady d'Hock est certainement à Londres en ce moment. Pour vaincre ses dernières résistances, vous lui direz que Harry Dickson, seul, sait où se trouve le véritable miroir noir du docteur John Dee !

De retour à Baker Street, Harry Dickson ouvrit un des volumes qu'il avait emportés de chez Mr. Doomstetter et le posa devant Tom Wills.

— Voici un bouquin fort rare, Tom, qui fut d'ailleurs enlevé à la bibliothèque de Charter House, au nez et à la barbe du pauvre Surbass.

» C'est le *Theatrum Chimicum* d'Elias Ashmole, et voici dans quels termes on y parle d'un certain "miroir magique noir" dû aux recherches du docteur John Dee : "A l'aide de cette pierre magique, on peut voir toutes les personnes que l'on veut, dans quelque partie du monde où elles se trouvent, fussent-elles cachées au fond des appartements les plus reculés ou dans des cavernes au plus profond de la terre." »

Tom Wills regarda son maître avec une surprise non dissimulée.

— C'est étrange, mais cela nous intéresse-t-il dans l'affaire du studio rouge ? demanda-t-il au détective.

— Enormément, mon garçon. A présent, je vais vous faire un petit cours d'histoire.

» En avril 1842, la belle collection d'œuvres d'art de Sir Horace Walpole formée par ce dernier à Strawberry Hill, fut vendue aux enchères. Parmi les objets singuliers que se sont disputés les amateurs, on cite le célèbre miroir magique du docteur Dee. C'était un morceau de charbon de terre, de forme circulaire, parfaitement poli et pourvu d'un manche d'ivoire. Cette curiosité figurait naguère dans la collection du comte de Petersborough et le catalogue l'indiquait sous cette inscription : « Pierre noire au moyen de laquelle le docteur Dee évoquait les esprits. » De la galerie du comte, il passa dans celle de Lady Elisabeth Germaine ; puis il devint la propriété de John, dernier duc d'Argyle, dont le petit-fils, Lord Campbell, le donna à Walpole. L'objet fut vendu 12 livres 12 shillings à un collectionneur obscur, dont le nom est resté ignoré. Depuis, des sommes formidables ont été offertes pour le retrouver, mais personne ne s'est jamais présenté.

» Le miroir noir était définitivement perdu pour les magiciens modernes.

» Qui est — ou qui fut — ce John Dee ?

» Né à Londres en 1527, il étudia d'abord les sciences avec succès, mais, bientôt, il s'adonna à l'astrologie judiciaire.

» La reine Elisabeth le prit sous sa protection : il avait déterminé le jour le plus heureux pour le couronnement de cette princesse.

» Grâce à son miroir, qui lui demanda plus de quinze ans de recherches et de mystérieux travaux, il prétendait conjurer les esprits, faire des prédictions ; il voyait l'invisible, il traitait avec les forces redoutables de l'au-delà.

» Eh bien, Tom, depuis plus d'un demi-siècle que ce miroir est perdu, des recherches désespérées ont été entreprises pour le retrouver, et comme on n'y parvenait pas, on s'est décidé à en construire un autre.

» Les chercheurs ont remonté le temps. Ils ont découvert que l'homme qui aida le docteur John Dee à réaliser son œuvre surhumaine était un certain Edouard Kelly. Voilà un formidable aventurier !

» Ce Kelly avait voyagé dans toutes les parties connues du monde. Il fit un long séjour aux Indes : ce fut le premier Européen qui parvint dans le royaume interdit du Népal, cette terre mystérieuse qui, à l'heure actuelle, reste toujours fermée à la race blanche.

» Or, c'est de là que Kelly emporta tout ce qui était

114

nécessaire au docteur Dee pour réaliser son œuvre magique.

Harry Dickson fit une pause et, prenant hors d'un tiroir le petit cylindre de pierre rouge, il ajouta :

— Le studio rouge n'était autre qu'une chambre magique, propice aux incantations nécessaires à l'élaboration d'une œuvre pareille à celle du docteur Dee ! C'est ce que nous apprend le singulier livre d'Ashmole.

— Y parle-t-on des chats habillés ? demanda naïvement le jeune homme.

Le maître se mit à rire et lui allongea une tape amicale.

— Ah, mais non ! ce n'est là qu'un bien grossier ajout des criminels d'aujourd'hui : les chats habillés sont des bombes vivantes, qu'on dressait de façon à repérer partout la fameuse pierre ématille, pour la... détruire.

» Car la présence de cette pierre, selon les occultistes, signifiait la découverte probable du miroir magique. On évinçait ainsi toute concurrence, car les félins portaient, en guise « d'habit », un petit sac rempli d'un explosif effroyable et une fusée à retardement.

» C'est ainsi que les murs du studio rouge d'Houndsditch ont sauté en miettes ; c'est ainsi que je serais mort si les chats habillés s'étaient approchés de ce petit cylindre rouge que je tiens en ce moment à ma portée.

— Et c'est ce démon de Doomstetter qui a manigancé tout cela ? s'écria Tom Wills en colère.

— Qui vous parle de Doomstetter, Tom ? L'unique coupable, c'est la mystérieuse et terrible Mélanie Balder, la luciférienne qui croit pouvoir asservir le monde et dont certains osent encore nier ou discuter l'existence.

— Ainsi, ce monstre infernal existe ? s'alarma le jeune homme.

— Certainement et, pour peu que la chance soit avec nous, nous la verrons en chair et en os à nos côtés.

— J'y suis! s'écria le jeune homme, c'est la baronne d'Hock!

Harry Dickson bourra sa pipe et se mit à fumer rêveusement.

— Soit... mais qui est la baronne d'Hock? Je me le demande encore!

A neuf heures du matin, Harry Dickson et Tom Wills arrivèrent au British Museum et y trouvèrent Lord Cobwell qui les attendait avec impatience.

— Vous aviez raison, Mr. Dickson, dit-il, la baronne d'Hock était dans sa maison de Guilford. Elle m'a reçu en grommelant, mais quand je lui ai parlé du miroir noir du docteur Dee, elle m'a semblé s'y intéresser quelque peu. Je suppose que ce Dickson est un farceur, a-t-elle dit, mais je ne refuse pas de converser un moment avec cet homme malin et retors.

» Elle sera ici à dix heures sonnantes et veut bien présider une séance dans le studio rouge. Mais elle m'a refusé l'autorisation d'y assister.

— Je vous remercie, Lord Cobwell, répondit le détective. Je crois qu'eu égard à ce service, bien des erreurs peuvent vous être pardonnées.

Il donna ordre à Tom Wills de l'attendre et se dirigea vers la section hindoue qui n'avait pas encore été ouverte au public.

Arrivé dans le département du Népal, il siffla légèrement et, aussitôt, une silhouette se détacha d'un coin d'ombre et s'avança vers lui.

C'était un homme à grande barbe noire, vêtu à la façon d'un clergyman. Harry Dickson le regarda attentivement, puis lui tendit la main.

— Très bien, Mr. Theo Wiggs, je n'en attendais pas moins de vous.

Ils arpentèrent les longs couloirs déserts; on aurait dit que des instructions avaient été données pour les laisser seuls et, de fait, il en avait été ainsi.

A dix heures, un gardien tourna un des coins du grand hall et s'avança rapidement vers eux.

— Tout est en ordre, Sir, la porte du studio rouge est ouverte et personne ne vous dérangera. La dame est arrivée, la voici qui descend de voiture.

Harry Dickson regarda son compagnon avec gravité.

— L'instant est solennel, dit-il, n'oubliez aucune de mes instructions. Voici les tampons.

Il lui tendit deux fins tampons d'ouate qu'il imbiba rapidement d'un liquide contenu dans une fiole de verre bleu, en roula deux autres pour lui-même et tous deux se les glissèrent dans le tuyau de l'oreille.

— Eh bien, où est-il, ce fameux Dickson? cria une voix de crécelle.

Au même instant, une étrange petite créature, presque aussi haute que large, tourna le coin et marcha rapidement vers eux.

— C'est donc bien entendu, murmura Dickson à l'oreille de son compagnon, gare à la lampe... le danger doit venir de là: seule la lampe n'est pas reproduite dans le simili-salon rouge!

A travers la légère cloison d'ouate, Mr. Wiggs dut comprendre car il baissa la tête en signe d'assentiment.

La baronne d'Hock était devant eux.

Elle avait une drôle de petite tête d'oiseau, toute ratatinée, où luisaient des yeux d'une intelligence extraordinaire.

— Je vous avais fait dire d'être seul! gronda-t-elle en s'adressant au détective.

— Je le regrette, milady, répondit Harry Dickson en s'inclinant, mais les règlements du musée doivent être respectés. Je dois donc imposer la présence du conservateur adjoint, Mr. Theo Wiggs, remplaçant temporaire de Mr. Silversmith, absent.

— Soit, ricana la baronne d'Hock. Allons voir votre chambre rouge et dites-moi ce que vous savez du miroir de John Dee, c'est la seule chose qui m'intéresse.

— C'est bien regrettable, milady, que le docteur

117

Surbass ne soit plus en vie et surtout que vous ne l'ayez jamais approché.

— Et qui vous dit que je ne l'ai pas fait, Mr. Sait-Tout?

— Je ne le pense pas, sinon, il vous aurait certainement entretenue de la curieuse histoire de ce miroir noir. Enfin, je vais vous la raconter telle quelle, même si elle me semble assez fantaisiste.

» Le jour même de sa mort, Surbass est venu me trouver mais, un peu avant lui, je reçus un autre visiteur qu'en partant le docteur croisa dans le vestibule de la maison. Là-dessus, il vint chez moi, tout effrayé en criant :

» — Connaissez-vous l'homme qui vient de partir?

» — De nom seulement, dis-je. Il a prétendu se nommer Murdoch Blossom et s'est dit éleveur à Maidstone, près de Bradford.

» — C'est un coquin! s'écria Surbass, c'est un traître... Cet homme s'apprête à faire sortir du pays un de nos trésors les plus purs, les plus rares : le miroir noir de la reine Elisabeth d'Angleterre, fabriqué naguère par le célèbre docteur John Dee. Cet homme est aux gages du roi du Népal et, par je ne sais quels truchements, il est parvenu à découvrir ce trésor que l'on recherchait depuis plus d'un demi-siècle.

» J'ai pris des renseignements, continua le détective, et j'ai appris, en effet, qu'un certain Murdoch Blossom s'embarquait aujourd'hui à midi à bord du S.S. *Thomas Drake* pour Calcutta...

— Vous allez l'arrêter, n'est-ce pas? s'écria Lady d'Hock.

— Je n'ai aucune raison de le faire, milady. Officiellement, on ne recherche pas le miroir du docteur Dee.

La baronne haussa les épaules.

— Tout cela est parfaitement idiot, dit-elle d'un ton léger. Ce n'est pas moi qui irai courir après ce morceau de charbon de terre, dont je conteste d'ailleurs l'authenticité. Conduisez-moi au studio rouge!

Harry Dickson obéit et, quelques minutes plus tard, la baronne d'Hock s'installa aux côtés des deux hommes devant la table rouge.

— Portes closes! ordonna-t-elle d'une voix rogue.

Son regard tomba alors sur le mot inscrit dans la poussière par la main mourante du docteur Surbass.

— Bath... fit-elle, qu'est-ce à dire?

— La ville balnéaire de Bath, sans doute, répondit le détective. Plusieurs hommes de Scotland Yard y enquêtent en ce moment.

— Bien, c'est votre affaire et non la mienne. Voyons ce studio... c'est bien une chambre à incantations, selon les règles les plus formelles de la magie rouge, c'est tout ce que je puis vous dire.

— Et cette lampe? demanda Harry Dickson.

— Une lampe à incantations, naturellement, bien que d'un usage peu répandu. Voulez-vous me passer une allumette?

— Mais elle ne pourra pas brûler, elle n'est pas garnie d'huile.

L'étrange femme éclata d'un rire aigu et méchant.

— Ignorant, jouez donc à l'agent de police et non au magicien, célèbre Dickson. Mais vous saurez que la mèche de cette lampe est imprégnée d'une graisse subtile qui lui permet de brûler très lentement, sans fumer ni charbonner. Dans le temps, on prétendait que c'était de l'adipocire, c'est-à-dire de la graisse humaine. C'est possible, mais je n'en sais rien!

En effet, la mèche s'alluma, d'une toute petite flamme rouge ne donnant aucune fumée et si tranquille qu'on l'aurait dite en un étrange verre coloré.

— Très curieuse cette lampe, continua la baronne d'Hock, surtout ces pattes de griffon en or qui sont admirablement ciselées.

De sa main sèche, elle caressa les appliques en or et bien qu'un tampon d'ouate brouillât un peu son ouïe, le détective entendit le déclic.

Au même instant, une chanson étrange s'éleva.

C'était une longue plainte, bizarrement modulée, qui monta rapidement à un diapason suraigu et, soudain, éclata en deux notes sauvages.

Harry Dickson sentit une douleur atroce lui traverser

le cerveau ; son visage se tordit hideusement et il s'écroula sur le sol.

En même temps, Mr. Wiggs, qui n'avait pas desserré les dents jusque-là, leva les bras au ciel dans un geste d'agonie, et tomba, la tête sur la table. La baronne souffla froidement la lampe et jeta un regard moqueur sur les deux corps étendus près d'elle.

— Le secret du dieu Mato du Népal, grinça-t-elle, une réédition du fameux secret du Toth égyptien, en somme : le bruit qui tue. La note qui transperce le cerveau comme un poignard. Je suis bien aise d'avoir assisté, de visu, à pareille séance, cela n'arrive pas tous les jours. Adieu, malin Dickson, et vous, crétin de conservateur.

Elle se leva et s'éloigna sans hâte.

— Si tout ce fatras s'avère inutile, dit-elle, on enverra un chat se promener dans les environs, un de ces jours.

Et elle quitta le studio tragique sans même se retourner.

Quelques minutes plus tard, une auto ronfla sur l'esplanade.

Harry Dickson leva la tête, une migraine affreuse lui tenaillait les tempes.

— Et d'un, murmura-t-il. Nous savons, maintenant, comment Sebald Linkins et le docteur Surbass sont morts. Sans doute qu'au dernier moment, le brave Doomstetter leur a donné quelques conseils quant à la lampe.

Un gémissement douloureux lui répondit et Mr. Wiggs leva la tête.

— C'est affreux, gronda-t-il. Je ne voudrais plus jamais vivre un instant pareil, j'ai cru que tout mon corps allait éclater.

— Avez-vous reconnu la baronne d'Hock ? demanda Dickson.

— Oui, c'est l'individu que j'ai vu à plusieurs reprises dans le courant de la journée d'hier et dont vous venez de prononcer le nom, Doomstetter, je crois.

— En effet, déclara Harry Dickson, déçu, la baronne

120

d'Hock et Doomstetter, c'est une seule et même personne, cela crève les yeux. Mais est-ce tout ?

Mr. Wiggs ôta sa lourde barbe noire et l'honnête visage de Murdoch Blossom parut.

— C'est tout, dit-il.

— Diable, murmura Dickson, me serais-je trompé à ce point ?

6. Bath...

A onze heures trente montèrent à bord du SS *Thomas Drake* trois gentlemen qui, après un court entretien avec le commandant, y acquirent immédiatement droit de cité.

L'un d'eux était Mr. Murdoch Blossom qui, dans un costume de voyage un peu désuet, trimbalait avec lui un tout aussi désuet appareil photographique.

Les deux autres étaient des passagers bien quelconques et, sous leurs grosses moustaches, on aurait difficilement reconnu Harry Dickson et son élève Tom Wills.

Quelques minutes avant midi, la sirène à vapeur se mit à hurler avec frénésie, annonçant le départ proche.

Au même instant, un taxi arriva à toute allure et se rangea contre la coupée.

Un petit homme, vêtu d'un manteau beige et d'une casquette de touriste, au teint bistré et à la moustache tartare pendante, en descendit et bondit vers la passerelle.

— Murdoch Blossom ! s'écria-t-il, Mr. Murdoch Blossom, veuillez me prêter un moment d'attention.

— Tiens ! s'écria le campagnard, il me semble vous reconnaître, monsieur... Voyons... n'êtes-vous pas un de mes anciens clients, Mr. Lamy... Eh oui, c'est bien Mr. Lamy !

— En effet, c'est moi, il me reste une petite dette à solder.

— Il ne fallait pas vous déranger pour si peu, dit aimablement Murdoch Blossom.

Le petit homme lui jeta un regard perçant de ses yeux noirs comme du jais.

— Je paierai tout ce qu'il faudra, dit-il à voix basse. L'avez-vous ?

— Quoi... des volailles noires ? Je le regrette, mais j'ai abandonné ce genre d'élevage.

— C'est bien de cela qu'il s'agit ! aboya Mr. Lamy. Le miroir noir, où est-il ?

Murdoch Blossom ricana.

— J'aurais dû m'en douter ! Oui, monsieur, je l'ai... et personne ne pourrait m'en contester la propriété. Toutefois, je vous dois une certaine reconnaissance, car c'est grâce à vos poules noires que je suis entré en contact avec d'autres sorciers de votre trempe, mais qui ont voulu me payer honnêtement. Ah ! Mr. Lamy, vous avez cru détenir seul le secret des manigances avec le sang des poules noires du Népal et la fameuse pierre ématille de ce pays. Eh bien, il n'en est rien puisque mes amis aussi le connaissaient et ils ont pu s'en servir mieux que vous. Ils ont trouvé le miroir magique et maintenant, il part en voyage. Tenez, il est tout près de vous, dans cet appareil photographique !

— Cinq mille livres ! gronda le petit homme.

— Enfant !... Il faudrait être riche comme le roi du Népal lui-même pour pouvoir s'offrir cette fantaisie. Adieu, Mr. Lamy, je vous tiens quitte de la petite dette que vous avez envers moi... Allez vite à terre sinon on vous emmène à Calcutta.

L'homme poussa un cri de fureur et voulut se jeter sur Murdoch Blossom mais, au même instant, deux poings robustes s'abattirent sur ses épaules.

— Lamy, Doomstetter, baronne d'Hock ou Mélanie Balder, peu importe, on vous arrête au nom du roi !

— Non, Goodfield, je ne suis pas content, ronchonna Harry Dickson. Certes, nous avons mis la main sur une étrange canaille qui a pas mal de crimes sur la conscience. Nous avons pu pincer Silversmith, qui n'est qu'un de ses comparses, et quelques voyous de

122

Whitechapel qu'il avait à sa solde. Mais je ne suis pas content.

» Je comprends très bien, à présent, comment toute l'affaire s'emmancha :

» La fervente d'occultisme qu'était la baronne d'Hock, à force de pratiques de magie noire et rouge, en était arrivée à s'imaginer qu'elle était une luciférienne, et même la mystérieuse Mélanie Balder en personne. Mais il lui manquait un véritable instrument de sorcellerie : le miroir noir. Elle fréquenta les bibliothèques et les savants, elle n'épargna pas l'argent. C'est ainsi qu'elle découvrit que le célèbre docteur Dee avait eu jadis son laboratoire d'astrologie installé dans un immeuble où, depuis, s'éleva le triste quartier d'Houndsditch. Elle en fit l'acquisition et, après des fouilles laborieuses, y trouva les fondations de l'ancienne demeure qu'elle cherchait. Il ne lui en fallut pas davantage pour y construire, sur des données hindoues, le cabinet de magie que nous connaissons et pour y installer un curieux objet de mort, connu seulement des prêtres du Népal. Elle croyait à la force des influences. Mais la démolition d'une partie du quartier fit obstacle à ses travaux. Elle dissimula tant bien que mal son studio, espérant que le bloc de maçonnerie serait épargné, et créa, à cet effet, la ligue protectrice du folklore que nous connaissons.

» Ici aussi ses calculs furent déjoués et elle se mit à craindre que la police ne découvrît ses secrets. C'est ce qui la décida à supprimer des hommes comme Linkins et Surbass qui furent, jadis, plus ou moins à sa solde. En même temps, elle faisait régner la terreur autour du studio rouge. Certes, elle s'apprêtait à en faire autant avec Silversmith...

— Et avec Lord Cobwell, ajouta Goodfield.

Harry Dickson nia du geste.

— Non, bien qu'elle eût pu le faire et que Cobwell bénéficiât aussi de ses largesses, elle ne l'a pas fait...

Il s'arrêta, les yeux en l'air.

— Au diable... je n'avais pas pensé à cela !

Il se rua littéralement sur l'appareil téléphonique.

— Hôtel des Flandres à Charing Cross? Oui? Très bien, Mr. Murdoch Blossom est-il encore là? Merci, appelez-le d'urgence au téléphone.

L'éleveur de Maidstone reçut l'ordre de venir, sur-le-champ, rejoindre le détective au bureau de Goodfield à Scotland Yard.

— Et d'un, murmura Dickson en formant un nouveau numéro sur le cadran.

» Ah, c'est vous, Lord Cobwell, je reconnais votre voix. Tout s'arrange, en effet, et pour le mieux. Voulez-vous nous donner un dernier coup de main? Il s'agit de savoir quelles dispositions nous prendrons avec les meubles du studio rouge... Non, je ne crois pas qu'on pourra poursuivre Lady d'Hock. Mais voulez-vous nous rejoindre sur l'heure?

Murdoch arriva le premier et, après un court entretien, se retira. Quelques minutes plus tard, il fut remplacé par Lord Cobwell.

— Mon cher Lord, dit le détective, vous l'avez échappé belle, ce matin, en n'assistant pas à la séance magique du studio rouge. Providentiel, vraiment! Je suppose que vous connaissiez l'action terrible de la lampe de jade rouge?

Lord Cobwell blêmit affreusement mais Harry Dickson l'empêcha de parler.

— J'ai cru que Lady d'Hock leur avait enseigné la manière de se servir de cet horrible engin de mort pour leur propre fin, mais je me suis trompé. Je comprends maintenant pourquoi elle vous a défendu d'assister à la séance qui devait être celle de mon atroce agonie!

Athelstane Cobwell s'effondra littéralement:

— J'étais sous l'emprise de cette terrible femme.

— Non, s'écria Dickson d'une voix tonnante, Lady d'Hock ne fut jamais que votre instrument... Goodfield, faites entrer qui vous savez.

Une porte s'ouvrit et Murdoch Blossom entra.

— Regardez cet homme, Murdoch, dit-il, mais n'oubliez pas que trente ans ont passé sur votre mémoire.

Le campagnard resta tout un temps sans répondre et, soudain, il poussa un grand cri d'angoisse :

— Lord Bathurst ! Le commandant de notre expédition au Népal !

— Où il n'est allé que pour arracher de la terre interdite les effroyables secrets de la magie criminelle ! acheva Harry Dickson.

» Le pauvre docteur Surbass, en mourant, a eu un de ces éclairs comme seuls les hommes à la limite de leur vie en ont parfois : il comprit et, dans la poussière, il tenta d'écrire le nom véritable de son assassin.

» Car je n'ai pas oublié non plus qu'à la suite de ce voyage dans les régions interdites de l'Inde — voyage qui faillit compromettre la dignité de l'Angleterre dans cette colonie —, Lord Bathurst reçut du roi l'ordre de s'exiler. Il est revenu, sous le nom de Cobwell, qui est celui d'une de ses propriétés, et le souverain ferma les yeux...

» Ah ! tout devient clair... On comprend maintenant comment on était si bien renseigné sur les poules noires importées du Népal par un soldat de l'expédition qui s'établit cultivateur ! On comprend la présence pléthorique de la pierre ématille qu'on ne trouve que dans les temples secrets du Térai, la forêt interdite du royaume interdit !...

» Allons, Goodfield, établissez donc un mandat en règle, l'enquête sur l'affaire du studio rouge est virtuellement terminée.

NOTICE. Toutes les données sur le fameux miroir du docteur John Dee sont rigoureusement exactes. Cette pierre magique aurait d'ailleurs permis à l'astrologue de prédire des faits très lointains, comme la révolution française et la guerre mondiale de 1914-1918, ainsi que nos récentes et prodigieuses inventions. Il est également exact que, depuis la disparition de cet objet, de nombreux occultistes se sont mis à sa recherche, sans toutefois le retrouver.

Titres à paraître

Achevé d'imprimer en Europe
à Pössneck (Thuringe, Allemagne)
en janvier 1995
pour le compte de EJL
27, rue Cassette 75006 Paris

Dépôt légal janvier 1995

Diffusion France et étranger
Flammarion